Louison et monsieur Molière

MARIE-CHRISTINE HELGERSON

Louison et monsieur Molière

Castor Poche Flammarion

Pour Richard

Avec mes remerciements

Chapitre I

Monsieur Molière m'a enfin remarquée.

J'étais sous la table de la salle à manger avec une perruque sur le dos. J'imitais un singe, sautant à quatre pattes d'un convive à l'autre, faisant des grimaces et caressant des jambes. Les invités n'avaient pas l'air de s'inquiéter de ma présence. En rythme, je tapotais des chaussures. Les parents avaient bien droit à leur musique pour animer le repas. Pourquoi pas moi ?

Soudain, M. Molière soulève la nappe et dit :

— D'où vient cette petite bébête ?

Maman répond :

— C'est ma fille. Excusez-la, Molière. Elle est sotte quand sa gouvernante n'est pas là. Elle me contrarie sans cesse. Louison, va-t'en! Tu es insupportable.

Je fronce le nez.

— Elle a l'air drôle, dit M. Molière. Je pourrais lui trouver une place dans un ballet burlesque.

Être au théâtre! Voilà mon rêve.

— Je vous le dis franchement: c'est une sale gosse.

— Il faut quand même du talent pour imiter un singe, répond M. Molière.

— Eh bien, prenez-la!

Il dit alors, rêveur:

— Peut-être...

***

Louison, c'est moi. Et je vais vous raconter comment cette petite bête cachée sous la table est devenue une actrice de M. Molière.

Tout a débuté quelques mois plus tôt par une lettre qui est arrivée chez nous à Lyon.

De par le Roi, Sa Majesté, voulant toujours entretenir les troupes de son théâtre et prendre les meilleurs artistes des provinces, et étant informé que la nommée Jeanne Beauval (c'est maman) *possède toutes les qualités requises pour se rendre au Palais-Royal* (le théâtre de M. Molière), *Sa Majesté ordonne et commande à ladite Beauval et à son mari* (papa) *de se rendre à la cour pour recevoir ses ordres.*

Et puis il y avait encore des phrases très solennelles. Et ça se terminait ainsi :

Fait à Saint-Germain-en-Laye,
Le 31 juillet 1670
Louis.

Accompagnant la lettre, papa et maman ont reçu un contrat pour entrer dans le théâtre du Palais-Royal. Un rôle était déjà prévu pour chacun d'eux dans une nouvelle comédie. La première représentation serait le 23 novembre.

Cette annonce soudaine provoque une grande pagaille chez nous. Brusquement, il faut tout déménager, tout changer dans notre vie. Les parents vont quitter le théâtre Patephin où ils sont tous les deux acteurs. Et moi, je n'aurai plus mes promenades sur la place Bellecour avec Frosine, ma gouvernante, où on se dit bonjour entre filles et garçons avec un signe de la main. Je suis très inquiète.

Frosine, qui me dorlote depuis ma naissance, me calme :

— Oui, on part, Louison. Mais ce n'est pas bien grave. De toute façon, tu deviens trop grande pour les jeux de Lyon. On va vivre dans la capitale. Tu entreras dans une vraie salle de théâtre. Toi et moi, on ira applaudir tes parents. Ils joueront devant des publics enthousiastes. Et toi, tu seras heureuse de voir le succès de leur travail.

Et puis elle m'attrape par le menton et m'embrasse sur le nez.

***

Les parents apprennent leur nouvelle pièce et organisent le départ. Je dois les déranger… moins que jamais. Comme d'habitude, ils me repoussent. « Louison, va-t'en, laisse-nous tranquilles. »

Maman a le grand rôle. Elle a une énorme mémoire et m'intimide.

Elle sera la servante d'un bourgeois riche qui veut être un noble gentilhomme. Papa sera seulement un laquais. Ça lui est égal d'avoir de petits rôles. Il n'est pas jaloux de maman et de ses grands succès. Il me l'a dit. Quand maman réussit, il est heureux.

Je me rappelle une discussion à ce sujet. J'étais assise dans un coin du salon, un peu cachée, comme souvent lorsque j'écoute les grandes personnes.

Papa dit à maman :

— Embrasse-moi, Jeanne. Nous allons partir. On vient d'être choisis parmi les meilleurs acteurs de province. C'est beau, n'est-ce pas ? Le roi ne tarit pas d'éloges sur toi. C'est bien.

Maman, toujours un peu méchante avec papa, rétorque :

— « C'est beau. » « C'est bien. » Toi, tu es toujours content ! Mais non, il ne faut pas être satisfait. Tu as l'occasion d'une grande aventure. Ne rate pas tout, mon pauvre Jean. Tu ne vas pas perdre ta vie à jouer des rôles de laquais. Redresse la tête. Pense que tu es un héros. Change ton allure. Tu baisses le crâne. Tu courbes le dos. Tes épaules cachent ta poitrine. Ce n'est pas une silhouette pour un grand acteur. Il faut respirer à pleins poumons. On va au théâtre du Palais-Royal. Tu manques de passion. Ça m'agace, Jean. À Lyon, notre imagination s'endort sur place. La capitale nous donnera l'occasion d'avoir de meilleurs rôles.

Ici, les salles sont petites. À Paris, tout sera immense, brillant. Paris ! Un nouveau directeur ! Une nouvelle troupe ! Une nouvelle vie !

Papa ne répond rien.

Maman refuse de l'embrasser.

Moi, en voyant et en écoutant ça, je comprends : papa est souvent un peu triste à cause de maman.

Quand les parents sont méchants l'un avec l'autre, je cours chercher Frosine, et je réclame :

— Embrasse-moi bien fort. Tu ne m'oublies pas, toi ? Je suis bien ta Louison.

Et elle, gentille, me fait un câlin.

***

Pour le déménagement, on charge sur un coche les vêtements, la vaisselle, les tableaux, les miroirs. Je cours d'une salle à l'autre. Et j'essaie d'imaginer comment va être notre nouvelle vie. Est-ce qu'on aura une grande maison ? Comment sera ma chambre ? Où est-ce qu'on se promènera dans Paris ?

Quand on se met en route, je me tourne pour voir à quoi ressemble Lyon de loin et je jette un dernier coup d'œil sur les collines, avec une vague envie de pleurer.

Les deux coches roulent sur des chemins caillouteux. Il fait très chaud. On est tous secoués là-dedans. Des mouches piquent les chevaux et leur font faire des écarts. Par la fenêtre, je me penche pour regarder les énormes roues et la poussière, au risque de basculer. Frosine m'attrape et me tire dans le coche, où je suis coincée entre elle et le gros cuisinier Guillaume. J'étouffe. L'avantage, c'est que Guillaume nous donne des biscuits à la confiture de cerises. Dans l'autre coche, se trouvent les parents, leurs domestiques. Mais je suis sûre qu'ils n'ont rien d'aussi bon à grignoter.

Le soir, on s'arrête dans une auberge pas trop laide et pas trop sale. C'est maman qui choisit.

Elle descend et, par la portière, récite une tirade pour le cocher, avec son ton pas aimable :

— Je refuse d'être installée n'importe où. Je suis une actrice. Ne l'oublie pas. Et mon mari apparaît sur scène aussi. Nous n'avons pas l'habitude de nous mêler à la canaille. Je ne veux pas des auberges dangereuses. C'est compris ? Les gens du théâtre ont le droit de se reposer dans des lieux paisibles et de qualité. Laisse-moi visiter cette auberge avant de nous y installer.

Suivant son choix : le oui est imposé à tout le monde ; si c'est non, on s'en va...

***

À Paris, on habite rue Mazarine.

Tout de suite, maman aime la capitale. Bruits, gens, vitesse, costumes, couleurs, bâtiments, marchands, tout est immense. Maman le répète à papa :

— Lyon était médiocre et minuscule. Quelle chance nous avons d'avoir été invités par le Roi !

Moi, ce que je remarque c'est que notre maison a de hautes fenêtres claires, pas comme celles de Lyon couvertes de papier ciré. Ça me plaît. On voit de l'intérieur ce qu'il y a dehors.

Maman fait le tour de la maison, très vite, comme un tourbillon de vent.

— Guillaume, dit-elle, dans cette salle à manger, nous aurons de somptueux repas. Somptueux ! Tu m'as entendue. Sans tarder, je veux inviter le directeur de notre troupe.

Maman se garde la plus grande chambre.

Papa s'installe dans une salle pas loin.

Et moi, je tiens la main de Frosine pour monter dans une petite chambre au dernier étage par un escalier étroit. Frosine caresse mes cheveux.

— Tu seras dans cette chambre, Louison. Rassure-toi. Je serai juste à côté.

— Frosine, pourquoi maman ne s'occupe-t-elle jamais de moi ?

— Ta mère a son métier. Une comédienne n'a pas toujours le temps d'être une maman.

Mais je devine qu'elle ne me dit pas toute la vérité pour ne pas me faire de peine.

Dès l'arrivée à Paris, je vais avec Frosine aux répétitions des parents. Là, on voit aussi M. Molière. Frosine me dit qu'il écrit toutes les pièces pour son théâtre. Il les présente à la Cour du Roi et au public. Il s'occupe de ses comédiens et les paye aussi bien que possible. Et il est le premier acteur. M. Molière a l'œil sur tout.

J'aime regarder son visage. Il a une jolie moustache longue et fine, des cheveux bouclés, et l'air doux et gentil. Je voudrais qu'il me dise :

— Mademoiselle, voulez-vous devenir une actrice ? Votre mère est étonnante.

Pas trop timide, je répondrais :

— Oui. Oui, monsieur, je veux bien être une actrice comme maman.

***

Depuis qu'on est installés, M. Molière vient souvent à la maison pour des repas.

Aujourd'hui, il tousse beaucoup. Une grosse toux lourde qui lui râcle la gorge. Il ferme les yeux. Il étouffe. Maintenant sa gorge siffle. Ses yeux deviennent rouges. Ça me fait peur.

La dame qui l'accompagne l'enroule dans un châle. Elle lui caresse les joues et l'embrasse.

— Mon petit Jean-Baptiste, dit-elle. Il faut te calmer. La troupe se fait du souci pour toi.

— Madeleine, dit M. Molière en toussant encore, ne t'inquiète pas. Excuse-moi de faire tant de bruit. Je voudrais être plus discret.

— Mon cher ami, dit Madeleine, que ferait la troupe si tu tombais malade ? Aucun d'entre nous ne saurait se débrouiller sans toi, Jean-Baptiste. Qui nous écrirait des pièces ? Qui maintiendrait l'unité entre tous ? Qui saurait prendre le rôle principal ? Personne ne peut jouer comme toi.

Et elle pose ses lèvres sur ses mains.

Discrètement, je me glisse vers Frosine qui apporte des tasses de chocolat dans le salon.

— Cette jolie dame qui est près de M. Molière, c'est bien Mlle Madeleine ?

— Oui, la sœur aînée de Mme Molière. Celle-ci est méchante comme une louve. C'est Mlle Madeleine qui s'occupe de M. Molière. Elle est douce, affectueuse. Tu l'as vue aux répétitions.

— Je n'étais pas sûre que ce soit elle. On n'a pas la même tête au théâtre et dans la vie.

— Mon Louison, tu es bien sérieuse !

— Parce que je réfléchis, Frosine, même si je suis petite et si je fais des sottises.

Quand le repas commence, je glisse sous la table de la salle à manger avec ma perruque sur le dos.

C'est ce jour-là que M. Molière a soulevé la nappe et m'a aperçue.

Tout le monde quitte la salle pour aller dans le salon boire des tisanes, écouter de la musique. Frosine m'emmène dans ma chambre. Elle s'apprête à me border dans mon lit.

Je lui murmure :

— Est-ce que tu te souviens ?

— De quoi, Louison ?

— Il y a longtemps... est-ce que tu te souviens de ce que maman a dit quand je suis née ?

— J'ai une mauvaise mémoire.

— Maman me l'a répété plusieurs fois. « Quand tu es née, tu étais une enfant au visage ratatiné, jauni, avec des masses de cheveux

sombres trop lourds. Tu ressemblais à un singe. »
J'ai entendu ça souvent.

— C'était le point de vue de ta mère, s'exclame Frosine. Je t'ai toujours trouvée un bébé rond et rieur avec une chair potelée que j'aimais embrasser et pinçoter. Oublie ce qui te déplaît.

— Est-ce que tu crois que je pourrais devenir une actrice comme maman ? Je suis si laide.

— Pour le moment, tu es surtout trop petite. Moi, je te trouve plutôt mignonne. Dors, Louison.

Chapitre 2

Ma grande joie à Paris c'est de marcher le long de la Seine. J'aime le courant de l'eau. Il y avait deux rivières à Lyon. Ici, il n'y en a qu'une. Mais elle est large, lente et profonde. On peut voir des acrobates, des jongleurs et des gens qui crachent du feu. Des femmes qui chantent en lavant leur linge. Des bateliers qui travaillent sur des péniches. Et puis, avec Frosine, on va dans une confiserie où je dévore les meilleures tartelettes aux noix.

Mais je sens que les promenades et les tartelettes ne me mèneront pas au théâtre. Ce n'est pas pour cela que M. Molière m'a remarquée. Et les singeries sous la table ne suffiront pas non plus. Une vraie actrice joue des rôles. Elle récite des mots.

Alors, je dis à Frosine :

— Je veux former ma mémoire, apprendre des scènes, des dialogues comme papa et maman.

— Mais tu ne sais pas lire ! s'exclame Frosine.

— Maman non plus. Papa lui lit les manuscrits et elle les apprend par cœur. Moi, je veux faire comme elle.

— Ton père est trop occupé. Il n'aura jamais le temps de t'aider.

— Mais toi, tu sais lire, Frosine. Je t'ai vue dans ta chambre.

— Oui, me dit Frosine avec fierté. C'est ma grand-mère qui m'a appris. Je n'ai jamais lu une pièce de théâtre, mais je peux essayer.

— Est-ce que tu pourrais lire *Le Bourgeois gentilhomme* ? On l'a vu souvent. On commence à bien le connaître toutes les deux.

— Il faudrait qu'on aille acheter le texte. Ton père n'a que des manuscrits. Et moi, je ne sais lire que les lettres imprimées.

— Il est imprimé *Le Bourgeois gentilhomme* ?

— Je crois. On ira voir chez un libraire.

— Et cela nous coûtera plus ou moins cher que nos tartelettes ?

— Beaucoup plus ! Mais tes parents me donnent un peu d'argent pour nos dépenses. On oubliera les pâtisseries.

Nous trouvons *Le Bourgeois gentilhomme* chez Pierre Le Monnier en face de l'église de la Sainte-Chapelle. C'est si cher que Frosine cache le prix. Et pour ne pas me sentir coupable de faire une grosse dépense pour moi-même, je ne demande rien.

Toutes les deux, on s'installe dans ma chambre. Frosine tire un fauteuil près de la fenêtre, les pieds sur un tabouret. Je me tiens debout face à elle. Frosine choisit des lignes de M. Molière dans des scènes qui nous font rire, avec le maître de musique, le maître à danser et le maître d'armes. Patiente, elle lit et je répète. J'écoute, j'apprends par cœur et je n'oublie pas.

Je vais plus vite de jour en jour et il ne me faut pas longtemps pour ajouter des scènes de domestiques. C'est la spécialité de maman. Elle se moque de tous les gens bêtas. À la dernière représentation, elle jouait si bien son rôle de Nicole, la servante du bourgeois, que les spectateurs riaient simplement en la voyant apparaître. Mais je ne sais pas imiter sa jolie voix en ruisseau. Je me rends compte qu'il va falloir longtemps avant que je devienne une bonne actrice. Apprendre par cœur, ce n'est pas suffisant. Bien jouer, c'est plus compliqué que de répéter des dialogues.

Pour faire un petit théâtre, je me mets devant la cheminée. Je choisis deux places. À droite, je prends le rôle de Nicole et redresse la tête comme se tient maman. À gauche, je suis le bourgeois, en imitant M. Molière qui marche en gonflant la poitrine. Frosine sourit. Elle a l'air satisfaite de mon arrivée sur scène. J'essaie deux tons de voix, l'un pompeux, prétentieux pour le bourgeois ; pour Nicole, maman donc, je fais une voix roucoulante qui vient du fond de la gorge. Je demande à Frosine de me juger sur quelques lignes.

LE BOURGEOIS. — *Et toi, sais-tu bien comment il faut faire pour dire un U ?*

NICOLE. — *Comment ?*

LE BOURGEOIS. — *Oui, qu'est-ce que tu fais quand tu dis un U ?*

NICOLE. — *Quoi ?*

LE BOURGEOIS. — *Dis un peu, U, pour voir ?*

NICOLE. — *Eh bien, U.*

LE BOURGEOIS. — *Oui, mais qu'est-ce que tu fais ?*

NICOLE. — *Je fais ce que vous me dîtes !*

— Alors, ça va, Frosine?

— Pas mal. Mais, Louison, je vais être franche. Tu n'es pas encore prête à monter sur scène! Tu parles trop vite et sur un ton faux.

— Tu me donnes des conseils comme si tu étais M. Molière!

— Tu me demandes mon avis comme si tu étais une actrice! Il faut bien que je te réponde comme si j'étais ton directeur. On recommence. Cette fois-ci, fais attention à ton « *U* ». C'est ça qui est drôle.

Et l'une après l'autre, on répète des « *U* » sur tous les tons jusqu'à ce qu'on éclate de rire comme toute la salle du Palais-Royal.

De plus en plus souvent, Frosine m'emmène au théâtre. C'est au Palais-Royal que sont mes modèles. Je les regarde et les juge comme une *grande* spectatrice. Pour y aller, je mets une belle robe, un bonnet, une cape en velours, quelquefois des chaussures trop grandes. En cachette, je poudre mon front et mon nez. Je colle une mouche sur ma joue. Et on part.

J'étudie les jeux des visages, écoute les voix des acteurs. Je reconnais les caractères des personnages : ceux qui sont honnêtes et les tricheurs, ceux qui disent la vérité et les menteurs, les sérieux et les farceurs. Et je me demande ceux que je saurais jouer le mieux.

***

Ce matin, quand Frosine entre dans ma chambre, je suis cachée sous les draps. Enfouie dans mon lit, je m'imagine au théâtre du Palais-Royal. Je joue un rôle devant maman qui est au premier rang du parterre et me regarde. « Et tu prétends que cela est du bon théâtre ? » semble-t-elle me dire. J'ai l'impression que maman cherche toujours à me faire de la peine.

— Debout, Louison ! J'ai une nouvelle, dit Frosine.

— Alors, raconte !

— Sois patiente. On doit t'habiller d'abord.

Elle me fait un brin de toilette, dénoue les rouleaux de mes cheveux et choisit un vêtement. Elle prend une robe sombre dont l'encolure remonte sous le menton.

— Pourquoi tu m'habilles en triste, Frosine ?

— Aujourd'hui, Louison, je t'emmène chez les ursulines. Ton père et ta mère sont d'accord. Même si tu ne les déranges pas beaucoup, ils seront plus au calme. Tu vas apprendre à lire *et* à écrire. Pas comme moi. Je ne sais lire que ce qui est imprimé et je ne sais pas du tout écrire. Si tu veux te débrouiller toute seule, ça serait bien que tu puisses lire des manuscrits comme ton père. Les religieuses sauront t'enseigner tout cela. Ce sera un bon point pour ta vie.

— Pouvoir faire comme papa, c'est bien ce que je veux ! J'aurais préféré apprendre avec toi, mais puisque tu penses que ce sera mieux chez les religieuses, j'y vais.

— Tu ne seras pas malheureuse chez les ursulines et tu n'y resteras pas longtemps.

Avant le départ, Frosine me fait répéter les phrases qui montreront aux ursulines que j'ai une bonne éducation et on prépare une mallette avec quelques vêtements.

Frosine me recommande ceci :

— Tu ne diras surtout pas que tes parents travaillent au théâtre. Les comédiens sont considérés comme des amuseurs de foire. Et les religieuses jugent que c'est un péché. Tu serais renvoyée tout de suite.

— Promis. Je ne dirai pas un mot.

Tout de suite, dans le parloir, Frosine ment à sœur Louise-Claire sur l'occupation de mes parents.

— Sa mère est brodeuse. Son père est fabricant de chandelles.

La sœur ne demande pas de détails. Elle me regarde. J'ai l'air d'une petite fille docile et bien élevée, plutôt un peu timide. Je serai ce que l'on appelle une « bonne élève ».

Frosine m'embrasse et murmure dans mon oreille : « Bonne chance, ma grande. Tu te prépares pour ton avenir. »

Pour la première fois de ma vie, je suis loin de Frosine et seule avec des filles de mon âge. Je ne suis pas très curieuse de savoir qui elles sont. Je me tiens à l'écart de tout le monde et ne parle pas beaucoup lorsque l'on vient vers moi. Pendant la récréation, je reste seule. Au dortoir, je m'enroule rapidement dans ma couverture. Quand la surveillante s'approche de mon lit, je fais semblant de dormir. Je ne dis rien à la camarade à côté de moi. Je reste très sérieuse quand les autres ricanent. D'ailleurs, on ne se moque pas de moi, on m'ignore. Tant mieux.

Je sens bien que je suis différente des élèves de la classe. Elles ne souhaitent pas autant que moi apprendre à lire ; elles sont rarement allées au théâtre. Aucune ne doit cacher le travail de ses parents. Elles ne savent pas de longues tirades par cœur. Et n'ont pas été remarquées par M. Molière. Je ne parle pas de mon grand secret. Mais, une fois, sur un ton mystérieux, je dis :

— M. Molière, c'est le directeur du théâtre du Roi !

Une autre répond :

— Et alors ?...

En lui tournant le dos, je lui dis :

— Tu ne sais vraiment rien.

Pour montrer que je suis différente, le matin, je tamponne mon nez avec un mouchoir garni de dentelle. Je me lave aussi discrètement que possible. Je boucle mes cheveux avec modestie. Je suis bien élevée au réfectoire et veille à la façon dont je tiens ma cuillère. À chaque occasion, j'expose mes bonnes manières. Ça aurait fait plaisir à Frosine. Et j'aurais été très heureuse, si maman m'avait dit :

— Louison, je suis fière de toi. En public, tu es mon élégante demoiselle.

Lire, c'est beaucoup plus facile que je ne pensais. Nous utilisons *Le Petit Livre bleu*. J'apprends l'alphabet, les voyelles et les consonnes ; comment on regroupe les lettres ; et change parfois leur son suivant leur place dans les mots. Je suis bientôt la première de la classe.

Sœur Marie-Séraphine trouve que je lis si bien qu'elle me demande de « déchiffrer ». Bientôt, tout le monde répète après moi. Quant à l'écriture, c'est la danse d'une ligne sur l'ardoise avec une craie. Mais c'est plus difficile. Les lettres sont irrégulières. J'imite mal celles de sœur Marie-Séraphine ; ensuite, j'ai de la peine à les reconnaître. Mais je suis certaine que je pourrai bientôt lire comme papa les manuscrits du copiste de M. Molière.

Et j'apprends même quelques phrases en latin pendant la messe.

Un jour, la catastrophe arrive. Je suis dans la cour de récréation, seule, comme souvent, à l'ombre, répétant en silence une tirade de M. Molière et imitant au fond de ma gorge une des voix que j'avais apprises.

Sœur Marie-Séraphine s'approche de l'arbre contre lequel je suis appuyée. Peut-être vient-elle me demander pourquoi je me tiens toujours à l'écart de mes camarades ou si je suis triste. Je m'entends bien avec cette sœur-là et je suis plutôt contente de la voir faire attention à moi.

Gentille, elle me demande ce que je veux devenir plus tard :

— Si tu ne sais pas, je vais te donner une idée. Tu pourrais devenir une religieuse, c'est une belle vocation.

D'un coup, sortant de ma rêverie, je lui réponds sans réfléchir :

— Je sais ce que je veux devenir ! Une actrice, bien sûr, comme mes parents. Je pense à ça depuis longtemps. Tous les deux travaillent pour M. Molière au Palais-Royal. M. Molière dit que maman est étonnante. Et il trouve que moi aussi je joue bien le singe sous la table.

Je dis ça, enthousiaste.

Sœur Marie-Séraphine s'effraie :

— Une actrice, mon enfant ! Mais qui est assez coupable pour t'avoir donné une telle idée ? Est-ce que tu comprends ce que cela veut dire « être une actrice » ?

Horrifiée par ce que j'ai dit, je ne réponds rien.

— Les acteurs sont des tricheurs, s'exclame sœur Marie-Séraphine, affolée. Les comédiens imitent les gens. Ils se moquent de la vérité. Ils mentent. Ils mélangent la réalité et l'imagination. Ils sont coupables. Ils n'ont pas une vie honnête : ils jouent. Louison, je parlerai de toi à notre mère supérieure. Tu seras sûrement renvoyée du couvent. Nous ne pouvons pas te garder. Les acteurs copient n'importe qui et n'importe quoi. Tu ne peux pas être acceptée dans l'Église.

Peu après, on m'appelle chez la mère supérieure. Elle fronce les sourcils, furieuse, comme si j'étais une sorcière ou une diablesse. Et elle me dit cinq mots :

— Une honte, mon enfant. Adieu.

Je ne suis pas « son » enfant, mais celui de maman.

On fait venir Frosine. Je porte ma mallette et, la tête haute, je pars. Au moins, j'ai eu le temps de recevoir un double enseignement : lire et écrire.

Dans le bureau du salon, j'attrape un manuscrit et je lis pour Frosine :

— *Allons souper ensemble pour mieux goûter notre plaisir...*

— Bravo Louison ! Tu n'as vraiment pas perdu ton temps. Mais les ursulines t'ont humiliée, alors que tu es la fille de grands acteurs. Viens t'asseoir à côté de moi. Et dis-moi de ta plus belle voix la première voyelle que tu as apprise.

J'éclate de rire :

— Comme le maître de philosophie pour M. Jourdain ? Je vais te dire ma préférée. *U*.

Je rapproche les dents sans les joindre entièrement. J'allonge les lèvres. Mes lèvres font la moue. Si je veux me moquer de quelqu'un, je dis *U*, *U*, *U*, *U*... rsulines.

— Elles n'auraient pas dû te renvoyer, dit Frosine, souriant. Tu étais une excellente élève. En sachant lire, tu seras une plus grande actrice encore que ta mère.

— Ça va être difficile. Maman a une des meilleures places dans la troupe de M. Molière.

— Mais, souvent, je regrette qu'elle ne soit pas plus gentille avec toi.

— Je veux oublier ça. Je t'ai, toi, et papa aussi.

***

Toutes les deux, Frosine et moi, on ne se lasse pas d'aller au théâtre, surtout de voir et revoir *Le Bourgeois gentilhomme*. On n'est pas les seules. La pièce a toujours beaucoup de succès. Avec Frosine, j'en avais appris des morceaux quand je ne savais pas encore lire, et, maintenant que je me débrouille toute seule, je la sais par cœur. C'est un grand effort de mémoire, mais j'ai l'impression que j'ai les mêmes qualités que maman. Je me souviens sans beaucoup de peine.

Je suis au premier rang, debout, contre le plateau. On se faufile toujours vers ces places pour mieux voir le jeu des acteurs. Et, tout près, on a l'impression d'être sur la scène avec eux.

Le rideau s'enroule.

C'est le début.

Je murmure le texte pendant que les acteurs jouent. Quand c'est au tour de maman, je regarde sa bouche et ses yeux qui m'émerveillent. Tout a l'air de bien aller.

Soudain, une chose affreuse arrive : maman s'immobilise. Sa bouche se paralyse. Ses bras tombent le long de son corps. Ses yeux grands ouverts regardent l'assistance. C'était arrivé une fois à Lyon ; papa me l'avait dit. Je croyais que cela n'arriverait jamais à nouveau. Elle a un trou de mémoire.

Et tout à coup, Maman, que je n'ai jamais vue hésiter, se met à trembler.

Est-ce qu'un autre acteur va l'aider ? Est-ce que le souffleur est distrait et oublie son travail ? Et papa ? Il est toujours là pour éviter les catastrophes. Normalement, il apporte le manuscrit et suit les lignes. Est-ce qu'il ne s'est pas rendu compte de l'accident ?

Moi, je connais très bien la réplique. Une de celles que j'ai apprises en travaillant dans ma chambre. Je souffle : *En vérité, Madame, je suis la plus ravie du monde...* La mémoire de maman se débloque. Elle continue son rôle. Elle ne sait pas qui l'a aidée.

Le soir, à la maison, je ne peux pas m'empêcher de dire à maman que j'avais remarqué son trou de mémoire.

— Et alors ? dit maman, rageuse. Un trou de mémoire n'est pas la fin d'une carrière. Une grande actrice maintient son bon sens et sa maîtrise. Ce n'est pas la première fois que j'ai un incident sur scène.

— Savez-vous qui vous a soufflé votre ligne ?

— Peu importe, me dit maman.

— Eh bien, c'était moi !

Je m'attends à un merci, à des félicitations de maman. Rien.

— Et comment sais-tu mon rôle ? me demande maman, froide.

Avec audace, je réponds :

— Je sais lire et écrire, maman. J'ai appris chez les ursulines. Vous saviez bien que je n'étais pas à la maison, n'est-ce pas ? Je ne dépends de personne pour apprendre un texte. Vous êtes une grande actrice. Je veux devenir comme vous.

— Tu as un ton insupportable. Tu es envahissante, Louison. Il faudra que j'insiste pour que Frosine te garde dans ta chambre.

— Maman, je vous ai soufflé vos lignes ! je crie très fort, en retenant un sanglot.

Et je cours dans ma chambre.

Chapitre 3

Dans un coin du salon, papa, maman et M. Molière discutent de leur argent.

— Il fait bon être chez vous, dit M. Molière. Mais je suis sûr que les acteurs dépensent trop pour leurs dîners et pour leurs vêtements. Est-ce que je me trompe ?

— Mais non ! C'est plutôt le signe que le Palais-Royal fonctionne bien, dit maman. Molière, vous faites honneur aux Beauval en venant chez eux. Après tout, nous avons à notre table quelqu'un qui connaît le Roi.

— Je suis heureux quand nous sommes ensemble. Où puis-je parler en toute liberté des problèmes du théâtre et de ses finances ?

Armande, ma femme, les redoute. Et je n'oserais pas me plaindre auprès du Roi que le prix de mon blanchissage a augmenté comme celui de mes rubans. Il me faut cette intimité. Jeanne, vous me comprenez, n'est-ce pas?

— C'est plutôt à Jean qu'il faut poser cette question. C'est lui qui s'occupe des comptes de la maison. Moi, je dépense. Jean calcule.

— Je me demande parfois si je suis un financier ou un directeur de théâtre. Les décors vont sans cesse augmentant. La Cour n'en finit pas d'être exigeante sur la qualité et le luxe de mes représentations et le Roi semble ignorer que je dois payer mes acteurs.

— Je comprends, dit papa. C'est un peu la même chose dans notre famille. Jeanne est toujours exigeante. Et le luxe lui plaît.

— Avec sagesse! dit maman. Molière me connaît. Il ne me donne pas des rôles de bourgeoises, mais de servantes.

Recroquevillée sous une table de trictrac dans le salon, j'écoute les grandes personnes. Cela m'intéresse toujours de savoir ce qu'elles ont à dire, ce qu'elles pensent et surtout ce que je ne dois pas entendre. Mais je me sens un peu coupable quand on parle d'argent. C'est comme si leurs problèmes, c'était ma faute. Pourtant,

Frosine et moi, on ne dépense pas beaucoup. On a une petite bourse pour nos gâteries. Frosine m'achète peu de robes et je ne dévore pas comme le gros cuisinier Guillaume qui mange autant que tous les invités. Et nos distractions, le théâtre et la musique, sont gratuites.

Dans mon coin, je réfléchis.

Pour me distraire de leurs finances, je me dis : « Qu'est-ce que je pourrais inventer comme petit rôle ? Un pigeon sur un toit ? Une fille de chez les ursulines ? Un acrobate ? » Brusquement, j'ai une idée.

Sans bruit, je rampe hors de la table et je roule au milieu du tapis à fleurs ocre et bleues, loin de papa, de maman et de M. Molière. Raide, étendue, la bouche ouverte, les yeux fermés, les bras écartés, les jambes immobiles, mais les oreilles bien ouvertes, je ne bouge plus.

Personne ne me regarde. La conversation ne s'arrête pas. On parle du prix d'une robe de marquise, des plumes d'un comte, des bijoux d'une princesse, et de l'entretien des chevaux d'un carrosse. Je pourrais mourir seule sur le tapis, personne ne le remarquerait. J'attends patiemment.

C'est M. Molière qui, d'un coup, tourne la tête, se lève et se précipite :

— Qu'est-ce qu'il t'arrive, mon petit ?

Lorsqu'il pose ses mains sur mon cœur, je me réveille d'un bond :

— Je voulais savoir qui s'inquiéterait de moi. Monsieur Molière, est-ce que vous avez eu peur de me voir par terre, autant que si c'était du bon théâtre ?

— Et comment ! Tu as joué ce rôle d'une façon effrayante. Mais tu es la petite fille qui imitait le singe sous la table, n'est-ce pas ? Je te reconnais.

— À l'instant, je jouais à la mort.

— Tu l'as jouée comme un grand rôle. Ne me fais plus jamais peur. Tu es trop petite pour penser à des choses aussi tristes.

— C'est maman qui aurait dû se rendre compte que j'étais étendue sur le tapis, immobile, comme morte.

— Peut-être n'a-t-elle rien vu.

— Ou rien voulu voir...

— Un directeur de théâtre a l'œil sur tout. Rien ne peut lui échapper lorsqu'il doit aussi écrire ses pièces et trouver des idées. C'est bien normal que je t'aie aperçue.

— Elle ne vous a pas dérangé ? demande maman de l'autre côté du salon.

— Ne vous inquiétez de rien.

J'ai quitté la pièce. Je voulais être tranquille dans ma chambre, en pensant à M. Molière, sans les parents.

***

— Et pourquoi je ne peux pas grimper là-haut ? je demande à Frosine.

— Ta mère ne veut pas que tu ailles au grenier. Elle y garde ses affaires. Et moi, je te l'interdis aussi. Ce n'est pas prudent. Je suis sûre que le plancher est vermoulu.

— S'il y a un peu de lumière, j'aimerais aller lire des manuscrits. Je serais bien tranquille.

— Personne ne te dérange dans ta chambre.

— Et pourquoi maman ne veut-elle pas que j'aille là-haut ?

— Je te l'ai dit. Elle y garde ses affaires. Et en plus, c'est tout sale.

— Et toi, Frosine, tu as le droit d'y aller ?

— Moi, je ne veux pas !

Têtue, je désobéis.

Guillaume et Colin, les deux cuisiniers, font des courses en ville. J'ouvre la porte qui donne sur leur chambre, « Quel désordre ici ! », puis je me faufile par celle du grenier.

Mes yeux s'ajustent à la demi-obscurité. Ça sent la poussière et le bois. J'évite les araignées au centre de leur toile, immobiles, attendant un insecte. Comme de vieilles dentelles fragiles, certaines se brisent.

Tout d'un coup, je vois un foulard taché de rouge dont le coin est pincé dans un coffre. Je le prends, le secoue, le tords, le sens, le tire. Il m'intrigue. Je l'entortille autour de mon cou.

Je continue ma promenade sur les planches de bois irrégulières.

Contre une paroi du mur, des bûches sont entassées pour les réserves des cheminées pendant l'hiver.

« Pourquoi m'a-t-on interdit de venir ici ? »

Je cherche.

Un rayon de lumière passe par une lucarne. Là, je retrouve des objets que nous avions apportés de Lyon, mais pour lesquels on n'avait pas trouvé une bonne place dans l'appartement de la rue Mazarine. Un autre coffre est bourré de paperasses, sans doute celles de papa. Ici, des robes de maman, pendues au plafond. Rien de moi.

Le long d'un mur, j'aperçois un immense drap qui recouvre des objets rectangulaires, comme protégeant d'étranges fantômes. Sur la pointe des pieds, j'arrive à faire tomber ce drap.

Une série de portraits de maman empilés les uns contre les autres apparaît. Je les mets en éventail contre le mur. Sombres, ils m'inquiètent. Ils sont différents de celui que nous avons dans le salon : le beau portrait que tout le monde vient contempler pendant les soirées.

— Jeanne, votre peintre de Lyon travaillait de façon superbe, avait dit M. Molière. Il est vrai qu'il avait le plus beau modèle du monde.

Maman avait souri du ton un peu blagueur de M. Molière.

Et moi, je pense : « On dirait qu'ils sont vivants. » Puis je compte. Dix ! Maman a fait peindre dix portraits d'elle. Elle a dû gaspiller une fortune pour son plaisir. C'est pour ça qu'elle ne veut pas que je vienne visiter le grenier !

J'aperçois sur un des portraits une petite fille. Et je me souviens.

J'étais très jeune. Pendant des heures, j'avais posé à côté de maman devant le peintre Thomas Blanchet, le plus grand de Lyon. Je devais être immobile à côté d'un singe qui tirait sur ma robe. Le peintre venait avec Mme Blanchet.

Maman leur récitait des tirades tragiques avec un ton comique. Les adultes riaient. Pas moi ! Quand maman me regardait, elle se moquait de mon visage :

— Ma fille ressemble à cette bête grimaçante, disait maman. Comment peut-elle être aussi vilaine ? Faites ce que vous pouvez avec votre pinceau !

Alors pourquoi a-t-elle voulu que je sois sur ce portrait à côté d'elle ? Ce souvenir de mon enfance me rend d'un coup furieuse.

Avec une épingle à cheveux oubliée dans un coffre, je griffe mon unique portrait. « Personne ne viendra ici pour se moquer de moi. » Maintenant, mon visage est tout abîmé. Je suis râpée, effacée. Je pleure un peu, puis je me secoue : « J'ai honte de toi, Louison. Tu ne seras jamais une actrice avec tes pleurnicheries. Que dirait M. Molière ? Arrête ces larmes. »

La grande comédienne du Palais-Royal, Jeanne Beauval, ma mère, se cache donc aussi dans le grenier. Mais pour se montrer en public, elle n'a choisi qu'un portrait. Superbe. Admirée par tous. Seule. Maman, dans le salon. Au grenier, ses yeux ont une lumière étrange. Là, elle a serré des nœuds de ruban le long de ses manches ; son éventail est fermé. Là, sa bouche apparaît dédaigneuse. Et dans cet autre, elle a autour du cou le foulard taché de rouge que je viens de voir. Sur ce tableau, elle a peur. L'un après l'autre, je regarde les dix portraits. Maman. Maman. Maman. J'aurais besoin de lui parler et qu'elle m'écoute. De portrait en portrait, je la cherche. Elle change, se voile. Elle m'échappe comme dans la vie de tous les jours.

Je continue à farfouiller dans les tableaux du grenier. Il y a un portrait de mon père tel que je le connais : simple et gentil. Sur un tableau de petites dimensions, mon père et ma mère se tiennent par la main. Ce n'est certainement pas Thomas Blanchet qui a peint cela. Mes parents ne ressemblent pas à des « artistes ». On dirait qu'ils vont au marché acheter des peaux de lapin pour garnir des robes ou des manteaux, ou de la poterie de cuisine à la foire. Qui avait commandé ce tableau ? Papa, peut-être. Maman était sûrement contente qu'il soit bien caché au grenier.

J'en ai assez de ma promenade. Les araignées. Les tableaux-fantômes. Les robes pendues. Et ce foulard rouge comme taché de sang.

Je vais dans ma chambre. Frosine est là, en train de broder un napperon représentant un bouquet de feuilles d'automne qu'elle veut attacher à un coussin pour mon lit.

Je lui dis aussitôt :

— Tu avais raison, Frosine. Au grenier, je n'ai vu que des choses qui m'ont inquiétée. Ça appartient à maman là-haut. C'est plein de poussière. Il va falloir que tu me nettoies la figure.

— Je t'avais dit, grande sotte ! Promets-moi que tu n'y retourneras pas.

Je me tais. Mais j'y retournerai... Là-haut, je peux réfléchir aux secrets de maman.

Frosine me dit de venir m'asseoir sur sa grosse robe brune plissée.

Adoucie, j'explique :

— J'ai détruit mon visage sur le tableau, dans le grenier, Frosine. Personne ne pourra plus jamais le voir. J'ai disparu.

— Et pourquoi as-tu fait cela, mon petit ?

— On m'avait cachée là-haut. Maman ne m'aurait jamais mise dans le salon. Pour elle, je ne suis ni un personnage de théâtre, ni une personne réelle.

— Calme-toi. Ta mère mélange la vérité et le rêve. C'est comme ça que pensent les acteurs. Pas *tous* les acteurs, tu as ton père qui sait que tu es sa fille. Et dans les gens qui s'occupent de toi, tu ne dois pas oublier Frosine.

Papa est dans son fauteuil du salon, son beau fauteuil en bois doré. Je me glisse vers lui.

— Je suis allée au grenier, papa. J'ai vu tous les portraits de maman et le vôtre. Et le mien. Toute petite, j'étais déjà laide. Je sais. Est-ce que je pourrai devenir une actrice, un jour? Une grande actrice comme maman?

Papa me tapote la tête:

— Il ne fallait pas aller au grenier, c'est la pièce de maman autant que sa chambre. Elle a enfermé des secrets là-haut. Je n'y vais jamais. Je me demande s'il n'y a pas des apparitions! Quant à toi, tu n'as pas besoin d'être belle pour être une actrice. D'ailleurs, je ne te trouve pas laide, Louison. Plutôt charmante, en fait. Quelquefois, tu es triste, inquiète, fâchée. Mais, c'est normal ça. Les acteurs ont toutes sortes de sentiments. Ne t'inquiète pas. Dans les comédies, ou dans les tragédies, tu trouveras une place. Tu es notre fille.

Tout d'un coup, maman arrive comme une tornade:

— J'avais interdit le grenier! Il m'appartient. Alors, Louison, si tu aimes t'enfermer là-haut, restes-y et ne redescends pas. Jean, cette enfant m'exaspère. Je ne veux savoir ni ce qu'elle fait ni ce qu'elle pense. Cela me contrarie toujours. Et Frosine ne fait pas son travail. Elle est ici pour s'occuper de Louison et lui faire respecter ce que j'ordonne. Les sentiments de ta fille, si elle en a, doivent être le souci de sa gouvernante. J'ai bien assez à faire avec les miens. La sensibilité des acteurs est fragile comme du cristal. Cette enfant brise la mienne. Tu as entendu ce que je viens de te dire ?

Papa, toujours timide en face de maman, a répondu :

— Louison ne nous gêne pas beaucoup. Elle est plutôt secrète.

— Pas assez !

Et maman part dans un tournoiement de sa robe.

***

Dans le salon, par terre, je joue aux cartes. Mon jeu préféré est le solitaire.

Ce soir, il y a un repas. Guillaume et Colin ont mis les bougeoirs d'argent et la vaisselle bleue.

Dans l'antichambre, j'entends la voix de M. Molière. Il parle avec maman.

Je laisse mes cartes et j'écoute, inquiète :

— Madeleine est morte, sanglote M. Molière à plusieurs reprises. Plus jamais nous ne pourrons nous parler. Comprenez-vous, Jeanne ? C'est une catastrophe pour mon cœur et pour notre troupe. Qui était aussi gentille pour moi ? Qui pouvait jouer comme Madeleine ? Elle avait un visage charmant. Il y a des actrices qui éparpillent sur la scène des rayons de soleil. Madeleine était une de celles-là. Excusez-moi de pleurer devant vous, mais je n'arrive pas à retenir les sanglots qui s'étouffent dans ma poitrine.

— Mon cher Molière, je sais. Elle était unique. Nous l'aimions tous. Pleurez près de moi. Vous connaissez ma maison. Elle est aussi la vôtre.

— Madeleine avait un sourire exquis. La voir, c'était l'aimer.

— Et Armande, sa sœur, votre femme ?

— Armande joue bien. Mais elle est froide. Elle ne m'inspire plus. Elle ne me soutient plus. Elle ne sait pas m'aider. Est-ce que je retrouverai une actrice semblable à Madeleine ? Dans la troupe, nous n'avons que vous, semblable à elle, Jeanne. Madeleine était ma conseillère et ma muse.

En disant cela, M. Molière protège ses lèvres dans les énormes mouchoirs qu'il porte toujours avec lui.

Maman met ses deux mains sur sa poitrine.

— Votre toux m'inquiète, cher Molière. Nous avons besoin de vous.

Je me suis approchée de Frosine.

— Maman peut vraiment être gentille quand elle veut !... Écoute.

Frosine murmure :

— Ta mère comprend mieux que nous ce qui arrive. M. Molière dépendait de Madeleine pour ses succès. Ils échangeaient leurs idées. Elle lui donnait des suggestions pour des jeux de scène. Elle s'occupait des expressions de visage. Elle savait si un amoureux paraissait trop timide. Si un père de famille dominait la scène par son autorité. Tu as vu beaucoup de fois que c'est très compliqué pour qu'une pièce réussisse. Je te disais l'autre jour que le théâtre c'est comme une mosaïque. Ton père dit ça aussi. Madeleine s'occupait de tous les petits carreaux. M. Molière l'adorait.

Moi, je me souviens de Mlle Madeleine frottant les boucles de M. Molière, l'embrassant, serrant son châle, et je comprends son grand chagrin.

Je cours dans l'antichambre.

— Va-t'en, me dit maman. Nous n'avons pas besoin de toi ici.

— Je veux prendre la main de M. Molière.

— Impertinente ! Comment oses-tu parler ainsi maintenant ?

— Laissez cette petite, dit M. Molière. Elle est affectueuse. Elle apaise mon chagrin.

Je pose mon front sur ses genoux. Il met sa main sur mes cheveux.

Puis il continue de parler à maman :

— Madeleine aura le droit d'être enterrée à l'église. Juste avant de mourir, elle a renoncé à sa vie d'actrice. Cela me désole. Vous savez bien la règle contre les comédiens. Ils sont chassés de l'église.

— Je sais, bien sûr, dit maman.

— Et pourtant notre métier est celui où l'amour, la rage, le pardon, le rire, la peur, la violence, la honte, la haine, la trahison existent sans vrai danger et font comprendre la vie.

Puis M. Molière soulève mon menton :

— Rappelle-moi ton nom, ma grande.

— Je m'appelle Louison Beauval.

M. Molière sourit :

— Louison. J'avais un fils. Il s'appelait Louis. Avec le petit rôle que tu as inventé l'autre jour dans le salon, tu m'as donné une idée. J'écris une nouvelle pièce. Je vais m'occuper de toi, Louison. Quel âge as-tu ?

— Dix ans*.

— Tu as un ton de voix qui n'est pas celui d'une petite fille. Mon fils aurait ton âge. J'avais mis beaucoup d'espoir en lui. J'aurais voulu qu'il devienne un acteur comme moi. Ou, s'il avait eu une bonne santé, qu'il reprenne ma troupe. *Louis. Louison.* Je garde vos deux noms dans mon cœur.

Maman m'ignore.

J'embrasse la main de M. Molière.

* Selon certaines sources, le personnage historique de Louison aurait huit ans au moment des faits.

Chapitre 4

Ce matin, je me lève tôt et vite. La phrase de M. Molière me revient. *Louis-Louison.* Je pense aux promenades de la place Bellecour à Lyon, lorsque je faisais des petits signes d'amitié aux garçons qui marchaient à côté de leur gouvernante. Et cela me donne envie de danser. Imitant ce que j'ai vu sur scène, j'esquisse quelques pas de ballet.

— Mais qu'est-ce que tu fais, Louison ? me demande Frosine en venant ouvrir mes volets.

Je marche sur la pointe des pieds en étirant mes bras de haut en bas tels les papillons que j'ai aperçus sur le Pont-Neuf, et roule ma taille comme les danseuses des intermèdes au théâtre du Palais-Royal.

Frosine, inquiète, me demande à nouveau si je ne suis pas malade. Je me tiens en équilibre sur un pied. Comme un héron.

— Louisonet, que se passe-t-il ? Qu'est-ce que tu inventes ? Est-ce que tu as laissé ta tête dans le grenier ?

— J'attends que M. Molière m'invite à devenir une de ses actrices. Il m'a dit qu'il pense à moi.

— Une actrice de M. Molière ? Oui. Mais pas pour tout de suite. En attendant, tu rêves !

— Pas sûr.

Je rends mes gestes de plus en plus précis. Tout mon corps se réveille. Ma taille. Mon dos. Mon cou. Mes doigts. Mes bras. Mes jambes. Chacun de mes muscles. J'invente des sauts de plus en plus complexes. M. Molière avait dit que je pourrais jouer dans un ballet burlesque. Pourquoi pas ? Ce que j'apprends maintenant pourra toujours être utile si je rajoute des grimaces, et des pantomimes. Frosine ne vient pas voir dans ma chambre d'où arrive ce chambardement. Elle doit me faire confiance.

Je me dis :

« Louison, essaie d'oublier ta laideur. Tu as le nez écrasé. La peau grenue. Des gros yeux ronds. Des sourcils épais qui tombent sur tes paupières. Avec tout ça, ta gorge ne sait pas s'esclaffer comme celle de ta mère. Et tes cheveux sont un paquet rêche comme une botte de foin abandonnée le long du chemin. Et alors, Louison ? Ne te fâche pas contre toi-même. Toi aussi tu es étonnante. Tu as appris une pièce par cœur et tu peux lire. Tu sais danser et tu vas apprendre à chanter. Je ne veux pas entendre de rouspétances à propos de ta figure. On n'a pas besoin d'être superbe pour être une actrice. C'est la voix et l'allure qui comptent. Tu l'as bien vu au théâtre. Sois gentille avec toi-même. Et tant pis si tu ne ressembles ni à ton père ni à ta mère. »

Je deviens forte et souple. Et je chantonne, dans ma chambre, la musique de M. Lully que j'entends au théâtre et lorsqu'il vient avec ses musiciens au repas des parents.

Je raconte à Frosine tout ce que je sais faire.

Elle se réjouit.

— Quand tu seras grande, tu vas devenir une de ces actrices indispensables dont les directeurs ont toujours besoin. Ta voix est belle. Et tes yeux rayonnent.

— Pas « les » directeurs, Frosine. M. Molière.

Un jour, on est allées se promener sur les bords de la Seine. Je ne veux pas regarder ma silhouette dans l'eau glauque, comme si j'étais noyée. Cela me fait peur. Au lieu de cela, je chante :

Entre toutes les fleurs nouvellement écloses
Dont mes jardins sont embellis
J'ai fait choix de ces lys...

Des gens tournent la tête :

— Qui est-ce, cette gosse ?

— Ce n'est pas une « gosse », répond Frosine mécontente.

Un jongleur me propose de siffloter pour moi. Frosine me laisse faire. Il a un joli costume coloré. On se met l'un en face de l'autre. Il siffle comme une flûte. De nouveau je chante.

À la fin, il me félicite :

— Vous avez une jolie voix, mademoiselle. Si belle que le Roi vous entendra un jour.

— Merci, monsieur. Je suis très jeune encore. Et le Roi ne me connaît pas.

Je baisse la tête en rougissant. Je redeviens timide.

***

Je prends sur le bureau de papa un manuscrit de M. Molière. Son copiste a une belle écriture longue comme une feuille qui danse. C'est si joli que j'ai l'impression d'entendre la voix de M. Molière à chaque boucle de ses lettres.

Je grimpe dans le grenier. C'est le silence, mieux encore que dans ma chambre. S'il y a des erreurs, personne ne les entendra.

Je choisis les heures où la lumière filtre par la lucarne.

Je réfléchis.

Je lis.

Je décortique le sens.

Je relis.

Je m'occupe des sons.

Je répète à plusieurs reprises.

Je sais par cœur mon texte et je le sens dans ma tête.

Comme maman lorsqu'elle se prépare pour un rôle, je travaille des heures ; mais moi, je peux le faire toute seule.

***

Dans le salon, des musiciens jouent pour papa un air de M. Lully.

— Excusez-moi de vous déranger, papa, mais je veux vous réciter de la prose.

Papa fait signe aux musiciens de s'arrêter.

— Allons, j'écoute.

— Je joue M. Jourdain et les deux laquais. Pour M. Jourdain, je vais vous faire une voix large et pompeuse. Ça va vous surprendre. Écoutez bien. *Suivez-moi que j'aille un peu montrer mon habit par la ville, et ayez soin tous deux de marcher immédiatement sur mes pas, afin qu'on voie bien que vous êtes à moi.*

Papa rit et me tape sur l'épaule.

Je prends une voix docile, neutre, pour les laquais:

— *Oui, Monsieur. Oui, Monsieur.*

Papa dit:

— Combien de voix peux-tu faire, Louison? Si petite…

— La voix des amoureux, Lucile et Cléonte. Mais je n'arrive pas à imiter maman. Je chante un peu aussi.

Bel tempo che vola
Rapisce il contento…

— Tu sais les chansons en italien?

— Je ne sais pas ce qu'elles veulent dire, mais j'en ai appris deux. Je me débrouille.

— Viens que je t'embrasse, Louisette. Jouer, c'est dur. Alors, tu veux vraiment être une actrice?

À mon tour, j'embrasse papa et je dis:

— Je veux devenir comme vous deux.

Et je pars en courant.

***

M. Molière arrive, joli comme d'habitude. Ses boucles sont soignées sous son chapeau à plumes. Son visage est mince avec ses moustaches charmantes. Je remarque qu'aujourd'hui il a des nouveaux rubans verts à ses chaussures.

Sa poitrine semble agitée d'un vent furieux. Vient avec lui M. Vigarini qui a fait les décors de la nouvelle pièce. Et puis il y a M. Lully, intendant de la musique du Roi.

Sans attendre le début du repas, M. Molière et M. Lully se sont disputés. J'écoute et je comprends. Le Roi avait donné à M. Lully la meilleure place à la Cour.

— Hélas ! dit M. Lully, vous serez sous ma direction, Molière. Finis vos ordres pour mes ballets, mes chants et mes petits violons. J'obtiens le droit de mener comme je veux l'Académie royale de musique.

M. Molière, entre deux éclats de toux, répond quelque chose que je ne comprends pas très bien :

— La voix de la musique et la voix du théâtre

auront la même puissance. Nous sommes deux artistes qui avons simplement des chances différentes. Je ne disparais pas. Le roi saura toujours que j'existe. Adieu, Lully.

— Adieu, Molière. J'attends votre prochaine pièce. J'irai la voir. Je reconnais que vous êtes un grand artiste. Maintenant, le deuxième du roi.

M. Molière doit se sentir triste et seul.

Je chuchote à maman :

— Demandez à un de vos invités de réciter un poème de M. Molière. Ce sera un compliment pour lui.

À ma grande surprise, maman m'écoute.

Puis je m'approche de M. Molière et je lui demande :

— Est-ce que vous vous souvenez de mon nom ?

— Bien sûr ! Louison Beauval. Et j'ai une surprise pour toi, aujourd'hui. Je t'ai vue assister à des répétitions, à des représentations au théâtre du Palais-Royal, et aussi lorsqu'on a joué pour le Roi à Chambord. Tu m'as l'air d'être une fidèle spectatrice. Tu me plais.

Puis il dit :

— J'ai perdu trois enfants. Louis était mon

aîné. J'aurais désiré préparer un jour une surprise pour lui.

M. Molière courbe la tête contre sa poitrine. Dans son mouchoir, des gouttes rouges s'écrasent. Il ferme ses paupières et croise ses bras autour de son cou. J'imagine qu'il est un arbre secoué par une tornade. J'ai envie de caresser sa joue, comme le faisait Mlle Madeleine.

Une fois le grand orage fini, il me dit :

— Alors, voilà la surprise. Je suis en train d'écrire une nouvelle pièce. Et je voudrais que tu sois une actrice dedans. Qu'en penses-tu ?

J'apprends une nouvelle trop forte et trop heureuse. C'est difficile de la comprendre.

Mon cœur se met à battre.

Moi !

M. Molière m'offre en cadeau ce que je désire depuis notre arrivée à Paris. Je n'ose pas lui parler de tout mon travail de chant, de danse et de lecture.

Je hoquette :

— Est-ce que je suis la seule petite fille qui pourrait jouer ce rôle ?

— Si ça ne te fait pas envie, bien sûr, je trouverai quelqu'un. J'admire ta mère. Le talent se passe de parents à enfants. Alors, qu'en dis-tu ? Vous serez tous les trois dans cette pièce. Ton père, ta mère et toi. Louison, dis-moi, est-ce que tu acceptes ?

Cette fois-ci, clairement, sans hésitation, je réponds :

— Oui, monsieur Molière.

Une fois de plus, il a un accès de toux :

— Aurais-tu un mouchoir, s'il te plaît ? Je n'en ai plus.

Je vais chercher un large mouchoir que M. Molière tache de sang.

— Ton rôle sera dans le deuxième acte. Tu seras ma fille. Et tu auras une grande sœur qui s'appellera Angélique.

J'aurais voulu lui caresser l'épaule, mais je n'ai pas osé.

Pendant le repas, M. Molière annonce mon rôle. Maman normalement charmante avec ses invités, rage :

— L'année dernière, on a arrêté le théâtre pendant plus d'un mois parce que vous étiez malade. Vous voulez qu'une autre catastrophe arrive ? Votre santé s'écroule, Molière. Vous êtes en train d'écrire une nouvelle pièce. Ne l'alourdissez pas avec des enfants. Ils sont tous capricieux, incontrôlables et pesants. Comment lui apprendrez-vous à se comporter en actrice ?

— Taisez-vous, Jeanne, dit M. Molière. Vous

vous souvenez de la dernière représentation. du *Bourgeois gentilhomme*? J'ai vu, moi, ce qui s'est passé. C'est la petite Louison qui vous a soufflé vos lignes.

— Je suis heureux que vous ayez choisi ma fille, dit papa. Mais vous connaissez la fragilité d'une troupe. Nous ne savons même pas si le Roi sera satisfait de voir un enfant sur la scène.

M. Molière se lève pour une première fois, imposant et autoritaire:

— Moi, je suis le directeur de votre troupe. Jean-Baptiste Poquelin, Monsieur de Molière. J'ai la voix qui doit être écoutée. Vous m'obéirez. Louison jouera. Je l'ai choisie. Elle aura une scène, seule, avec moi.

D'abord un long silence.

Puis, calme, papa souligne:

— Et Louison suivra votre direction avec succès.

Le repas continue, long, délicieux, inquiet.

Loin de la table, discrète, pour ne déranger personne, mais parce que je suis heureuse, je danse des entrechats. Et M. Molière oublie ses soucis et dodeline de la tête en souriant.

Tard, chacun rentre chez soi. M. Molière pose ses lèvres sur la main de maman et s'installe dans sa chaise à porteurs pour se rendre rue de Richelieu.

***

Moi, je n'arrive pas à dormir ce soir.

Actrice! Mon grand désir se réalise. Comment est-ce que ça se passera lorsque, moi, je parlerai devant une immense salle? Au théâtre, je serai le personnage d'une pièce, mais je serai toujours Louison Beauval. Comment est-ce que je vais le ressentir?

Je sors de mon lit. J'imagine une salle où je parle en faisant quelques gestes avec mes mains pour donner plus de poids à mes mots. Je me demande: «N'est-ce pas un peu ridicule de bouger comme ça?» Ce sont les mots qui parlent. Les mains, les bras doivent rester calmes. Louison, pas de moulinets, pas de chichis, pas de manières. De toute façon, tu as encore tout à apprendre.

Et je me recouche.

Chapitre 5

Dans ma chambre, au petit matin, je clarifie ma gorge en roucoulant des voyelles comme si je me gargarisais. Frosine entend ces drôles de bruits et jette un coup d'œil pour voir si tout va bien. Elle veille sur moi avec soin comme si j'étais un éternel bébé. Mais maintenant que je vais jouer au théâtre, il faudra bien qu'elle apprenne à m'abandonner. Je ne risque pas de me perdre dans ma chambre ni dans cette maison !

— Ça va ? demande Frosine.

— Mais oui ! Très bien ! Je me réveille et je travaille le rôle que m'a donné M. Molière.

Aux répétitions, M. Molière essaie toutes les places dans le Palais-Royal, pour nous écouter, nous regarder sous différents angles et nous corriger. Il s'occupe de chaque détail : la voix, la tenue, les gestes, les expressions du visage. Il a bien remarqué la façon dont je parle et me dit :

— Dans mon théâtre, il faudra que tu modifies beaucoup ta voix. Je te donnerai des directions. Tous les acteurs de la province doivent changer leur accent.

À Lyon, on ne prononce pas le français comme à Paris. Sur la scène, les acteurs de M. Molière parlent de la même façon. Moi, je parle comme Frosine, avec l'accent lyonnais. Depuis que M. Molière veut que je prenne la voix du théâtre, il y a beaucoup de détails auxquels je dois faire attention. Il rectifie. Je dois prononcer les mots qui se terminent en «*é*», comme cela : «*é*», pas «*è*», ce qui est très vilain, paraît-il. Mes «*o*» ne sont pas exacts non plus.

— Regarde-moi bien, me dit M. Molière, en se mettant en face de moi, et en étudiant mes lèvres et ma mâchoire. Écoute avec attention. «*é*», «*è*». Apprends à reconnaître les contrastes. Demande à tes parents de t'aider. Ils ont tous les deux un accent parfait. Ils l'ont appris très vite, dès qu'ils sont venus de Lyon. Je m'attends au même succès de ta part.

Je fais de longs exercices pour prononcer chaque son ou groupe de sons tel que M. Molière le souhaite. Je me mets en face de mon petit miroir et regarde la forme que prennent mes lèvres.

— Tes «*a*» lyonnais sont trop ouverts. On dirait qu'un médecin fait une analyse du fond de ta gorge.

Mon «*r*» n'est pas exact. La fin de mes syllabes traîne. Des consonnes tombent au milieu des mots. Il y a beaucoup de travail. J'ai l'impression que toute ma bouche est paralysée.

Je vais chercher des cailloux dans la cour de la maison et monte dans le grenier où personne ne vient m'ennuyer. Je mets les cailloux dans ma bouche, comme le faisait Démosthène, dont j'ai lu l'histoire dans mon livre de lecture, et je parle lentement pour améliorer ma diction.

Et M. Molière continue à me corriger se tenant face à moi ou mettant son oreille près de mon visage:

— Il y a encore du travail. Mais ça avance. Tu ne sépares toujours pas les deux sons «*in*» et «*un*». «*Un brin d'herbe.*» «*Ce ton est brun.*»

J'augmente la quantité de cailloux au risque de m'étrangler.

Ensuite, j'apprends ma scène : je suis une petite sœur qui doit expliquer à son père la rencontre interdite de sa grande sœur et de son ami. La grande sœur s'appelle *Angélique*. Le père est *Argan*. Et moi je suis *Louison*, dans la pièce comme dans la vie.

Mais M. Molière ne s'est pas seulement servi de mon nom. Il a pris aussi mon idée. Au milieu de la scène, je dois faire semblant d'être morte.

— Tu fais, m'a-t-il dit, comme chez toi au milieu du tapis. Immobile. Sur le dos. Les bras écartés. La bouche ouverte. Les yeux fermés.

Nous répétons au Palais-Royal la pièce entière. Je suis intimidée.

— Est-ce que je vais y arriver, monsieur Molière ?

Voyant que je suis inquiète, il me rassure et continue gentiment à me donner des conseils :

— Tu te tiens bien droite maintenant. Tu as fait tous les progrès nécessaires. Ta tête est ferme sur tes épaules. Et tu gardes tes bras souples. Autre chose, veille à ce que ce soit tes sentiments qui guident ta respiration. Tu expires au moment où ton personnage parle... *Mon pauvre papa, ne me donnez pas le fouet*...

Comme ça. Tu contrôleras tes mots. Et lorsque tu vas entrer en salle, repose ta mâchoire. Tout ton visage saura se détendre. L'énergie est dans la gorge et dans la langue. Parle pour que ta voix porte jusqu'au fond de la salle. Ne pense pas aux spectateurs qui sont proches de toi, mais à ceux du fond.

— Vraiment, ça ira ?

— Rassure-toi. Je te fais confiance. Et tu m'as entendu, je suis sévère avec tous mes acteurs. Y compris avec toi.

***

À force de travailler seule dans le grenier en compagnie des tableaux de maman, comme si j'étais une vraie actrice, et au Palais-Royal avec M. Molière, j'ai l'impression d'être à la fois grande et petite.

Je me répète des phrases de ma scène. *« C'est que ma sœur m'avait dit de ne pas vous le dire ; mais je m'en vais vous dire tout. » « Mais, mon papa, ne dites pas à ma sœur que je vous l'ai dit. »*

Je me regarde dans mon miroir qui se trouve sur la table de toilette. Ce miroir, je l'aime. C'est un cadeau. Il appartenait à Frosine. Et puis un jour, elle m'avait chuchoté :

— Moi, je commence à vieillir, Louison. Je n'ai plus besoin de regarder mon visage de très près. Il y a beaucoup de rides. Toi, tu vas devenir une grande fille. Prends mon miroir.

— Je n'ai pas une ride. Mais je suis laide de partout.

— Je te dis, Louison, que tu ne sais pas te regarder comme il faut.

C'est le soir. J'allume une bougie. Je répète une fois de plus le rôle que je vais bientôt jouer. Je fais mon entrée sur scène ; je joue la naïve ; je mens ; je tombe à la renverse, prétendant être morte quand M. Molière, le malade imaginaire, me battra pour m'accuser de mentir ; puis je me relève. *« Ah ! mon papa ! » « [...] Vous ne me dites pas que vous avez vu un homme dans la chambre de votre sœur ? » « [...] C'est que ma sœur m'avait dit de ne pas vous le dire... » « Hé bien ? » « Il lui disait tout ci, tout ça, qu'il l'aimait bien et qu'elle était la plus belle du monde. »*

Suis-je comme une petite fille ou comme une demoiselle ? Je ne sais plus.

Dans la lumière tremblotante, face au miroir, j'ébouriffe mes cheveux. Frosine s'en occupe normalement. Je dois enfin me faire confiance.

Il m'a fallu deux heures pour me coiffer. J'ai commencé par des frisettes sur le front. Avec des lanières de tissu très serrées, j'ai enroulé des papillotes. Elles tomberont, agitées les unes à côté des autres, dans le dos, et dans le cou, lorsque je bougerai la tête. Des grosses boucles s'étalent sur les oreilles. Haut sur la tête, j'ai une tresse retenue par un ruban de soie comme le fait maman.

Que va penser Frosine ? Tant pis, si elle est un peu triste de me voir grandie toute seule en une soirée. Cette coiffure est celle de toutes les actrices qui viennent à la maison. Peut-être, un jour, pendant les repas, dira-t-on : « Louison ? Charmante. Mignonne. » Et les gens se souviendront même de Mlle Madeleine.

Au matin, je ne répète pas mon rôle : je sais ce que doit faire *Louison*. Mais qui suis-je ? Je m'approche du miroir, écarquillant les yeux. « Tu es une vraie actrice. » Je libère mes papillotes. Je suis satisfaite et décide de me faire un maquillage. J'attends que maman soit dans le salon pour aller prendre sa mallette de théâtre. Il y a une collection de mouches, des boîtes de poudre rose et pêche, des pommades or et vertes pour les yeux et des rouges profonds pour les lèvres. Je n'hésite pas. Mon visage est complètement changé.

À qui puis-je montrer cette figure? Frosine ne sera pas contente. Ce n'est pas une tête pour la maison. Maman me demandera où j'ai pris tout ce maquillage. Papa dira que je dois garder un visage d'enfant.

Je décide d'aller voir Guillaume et Colin. Eux ne me gronderont pas. Et je leur dirai une ou deux phrases de ma scène. Il paraît que M. Molière fait la même chose. Il s'enferme avec son valet et lui demande de juger ses pièces et sa voix.

Guillaume et Colin font des gâteaux. La farine saute de tous les côtés et la table est pleine de beurre.

— Mais qu'est-ce qu'il vous arrive, petite demoiselle, me demande Guillaume en arrêtant son travail. Vous ressemblez à votre maman lorsqu'il y a des grands repas. Sauf que vous êtes Louison.

— Alors vous me reconnaissez?

— Et comment!

— Et moi, j'ai deux questions, dit Colin. Pourquoi vous êtes maquillée comme ça et pourquoi vous continuez à monter au grenier?

— J'ai un maquillage d'actrice, Colin. Et, au

grenier, je me prépare pour mes répétitions de théâtre. J'ai été invitée par M. Molière à jouer une scène dans la dernière pièce qu'il vient d'écrire. Ça s'appelle *Le Malade imaginaire*, l'histoire de quelqu'un persuadé qu'il est toujours malade. Je suis sa fille.

Je dis ça sur un ton sérieux et solennel.

— Ooh ! Il devrait nous créer des rôles de cuisiniers. Nous, on est en bonne santé. Et un rôle de gouvernante pour Frosine. Comme ça, on sera tous des acteurs, dit Guillaume.

Puis la farine saute à nouveau, fabriquant, mêlée avec le beurre, des gâteaux ronds.

— J'espère que vous jouerez aussi bien que Madame Beauval, dit Colin. C'est la joie pour tout le monde, votre maman. Ici, non ! Excusez-moi. Mais au théâtre, elle nous fait bien rire.

— Eh ! Colin ! Tais-toi et travaille. Quel bavard, celui-là !

— Vous allez être heureuse dans la Troupe Royale, me dit Colin. M. Molière, il est aussi superbe qu'une de mes crèmes à la vanille. Avec sa voix, on devine tout de suite qu'on va se régaler.

Puis il continue sur un ton un peu triste :

— Dans la vie, j'ai un métier sans gloire. Mais ça vaut mieux que de vendre des peaux de lapin. On pue tellement qu'on a la compagnie des rats. Ça serait un mauvais métier. J'aime autant travailler avec Guillaume. On fait des courses dans la rue. On va chez l'épicier droguiste chercher des poissons, de la...

— Assez, Colin !

— ... de la cannelle, de l'huile, du fromage et de l'eau-de-vie, des confitures et du poivre. Et puis dans la cuisine, ça sent le caramel et le poulet grillé. Guillaume et moi, on s'entend bien. Mais être acteur comme vos parents, ça serait beaucoup mieux.

Je dis :

— On peut avoir des trous de mémoire, se tromper de mots. Ce n'est pas drôle tous les jours d'être une actrice.

Puis je pense à mon maquillage. Je *suis* une actrice. Bientôt, tout cela pourrait m'arriver à moi. Et, pour oublier mon inquiétude, je mange un biscuit au beurre et bois un verre de lait de chèvre.

Et je continue :

— Écoutez, vous deux. Je m'appelle *Louison* dans la pièce. Et voilà ma première phrase.

Je me cache derrière la porte, puis je l'ouvre d'un coup de pied, et j'annonce sur mon ton de voix spécial pour le théâtre :

— *Qu'est-ce que vous voulez, mon papa ? Ma belle-maman m'a dit que vous me demandez.*

Guillaume et Colin ont l'air un peu étonnés :

— On aurait dit que c'était quelqu'un d'autre qui entrait ! Alors, vous allez vous appeler *Louison* ? *Louison* au théâtre et Louison rue Mazarine. Ça, c'est une invention !

— Oui, *Louison*, comme mon vrai nom. Alors, je l'ai bien prononcée ma phrase d'entrée ?

— Même très bien, demoiselle Louison. On ira sûrement vous voir.

— Ça me fera plaisir. Merci.

***

Samedi 4 février, on passe toute la journée en répétition. M. Molière tousse souvent. Il presse sa poitrine entre ses mains. Il reste assis et surveille les acteurs.

Lorsque c'est mon tour, M. Molière me corrige. Je croyais que tout était parfait. Non, pas encore.

— Louison, ne bouge pas tes mains lorsque tu parles. L'énergie de tes paroles doit venir de ta voix. Je te l'ai dit. Ne donne pas l'impression d'être un rouet. Il ne faut distraire personne par des gestes à droite, à gauche. Je veux voir un mouvement précis, voulu. Pas plus. Ce sont tes mots qui comptent.

Et puis on joue de nouveau ma scène. Je me sens intimidée. Les acteurs me regardent. Je suis plutôt raide. « *Mon pauvre papa, ne me donnez pas le fouet.* » M. Molière me sourit, un peu moqueur.

— Cette fois-ci, tu fais l'inverse. Tu es droite comme un chêne. Il faut que tu trouves un moyen terme entre le chêne et le roseau.

Soudain, son visage pâlit. Ses joues se creusent comme les cernes noirs sous ses yeux. Et il presse contre ses lèvres son mouchoir taché d'un épais liquide rouge jaunâtre.

Toute la troupe s'arrête.

M. Molière se lève.

— C'est une répétition générale, dit-il, avec fermeté. Que personne ne s'inquiète. La pièce aura lieu. Votre directeur ne craque pas.

On se remet en route. Chacun se souvient du détail que M. Molière a donné pour corriger soit une diction, soit une présence dans l'arrivée sur scène, soit l'orientation d'un regard. Moi, je me souviens que je ne dois pas bouger mes bras comme des moulinets.

Notre directeur commente :

— Jeanne, c'était parfait. Ne change rien et

nous avons gagné la partie. Ma petite Louison, cette fois, ça va. Tu joues très bien. Fais attention quand tu me dis : *Mon pauvre papa...*, ne parais pas trop effrayée. Par contre lorsque tu dis, *Attendez : je suis morte...*, contrefais la mort. Vas-y carrément. Tu t'es bien exercée. Ça se voit. Il faut que pendant un instant, dans la salle, on se demande si quelque chose ne t'est pas vraiment arrivé. Tu connais ma réponse : *Ah ! malheureux, ma pauvre fille est morte [...] Ah ! ma pauvre fille, ma pauvre petite Louison.* Je fais naître la crainte ; puis je rassure l'assistance. Toi, Beauval, n'oublie pas que tu es un grand benêt. Diafoirus. Diafoirus et rien d'autre.

— Est-ce que je n'ai pas exagéré ma grande tirade d'entrée ? demande papa.

— Ça allait très bien. Souviens-toi de tous les rôles d'idiots et tes spectateurs t'adopteront. Vous, les acteurs du troisième intermède, que votre « latin » soit parfaitement clair. Tout le monde doit le comprendre. *Bene, bene, bene, bene respondere : Dignus, dignus est entrare in nostro docto corpore.* Maintenant, on recommence. Acte I. Tout le monde est prêt ? Acte I.

On continue notre travail. Je vois bien que M. Molière est épuisé. Il a perdu Mlle Madeleine.

Son fils Louis est mort. Mme Armande n'est pas gentille avec lui. Et j'ai entendu la dispute avec M. Lully. Celui-ci est devenu le préféré du Roi. Mais M. Molière dirige toujours sa troupe et joue le rôle le plus épuisant, le malade imaginaire.

***

À la fin de la journée, après la répétition, on va souper *Aux Bons Enfants*. C'est là que les acteurs se retrouvent pour discuter de leur travail, pour rire un bon coup, pour oublier leurs soucis.

Frosine m'assure que je suis une petite fille et que cette auberge n'est pas pour moi.

J'avais assisté à toute la répétition de la journée. J'étais aussi fatiguée que les autres. Et j'en avais assez d'être appelée une *petite* fille. Je supplie papa et maman de m'emmener avec eux.

— Ce n'est pas la place d'une enfant, dit papa. Nous restons très tard. Frosine, emmenez-la.

— Je suis une actrice comme vous tous, maintenant ! M. Molière m'a donné un rôle à moi. Je travaille dans ma chambre et dans le grenier, chaque jour.

— Eh bien retournes-y, rétorque maman. Tu n'en finis pas de m'encombrer même si ton rôle est minuscule. Au moins essaye de le jouer correctement. Et enlève cette coiffure que tu as portée pendant toute la répétition. Je suis surprise que Molière n'ait rien dit. Pour le spectacle, tu auras des boucles basses. Mais pour qui te prends-tu ?

Honteuse de la remarque de maman, je serre la main de Frosine et nous partons.

— Ce soir, je dors seule au grenier. Je n'aurai pas peur.

— Mais non, dans ta chambre. Comme d'habitude. Et sois patiente avec l'humeur de ta mère. Elle ne sait pas faire autrement.

Chapitre 6

Vendredi 10 février 1673.

C'est la première représentation du *Malade imaginaire*.

Au petit matin, je vois maman peu maquillée. Elle se grimera dans sa loge où je ne vais jamais. Maman me l'interdit parce que je la distrais. Mais je me donne le droit d'être dans sa chambre, cachée derrière le paravent. Sa servante prépare la mallette avec les rouges, les poudres, les crayons, les mouches. Elle vérifie tout avant les représentations, sachant la rage de maman s'il manquait quelque chose. Je connais cette mallette, celle dont je me suis servi.

Maman a un déshabillé bleu pâle et des pantoufles décorées de plumes blanches. En face d'un miroir, elle fait des exercices avec ses lèvres et son cou. Je laisse le paravent et je dis :

— Est-ce que je peux vous réciter mon rôle, maman ?

— Ton rôle est minime.

— M. Molière a dit que sur la scène, on était tous liés les uns aux autres, même si on ne se parle pas directement.

— Dans ta scène, tu seras seule avec Molière. Il n'y a pas d'autres acteurs. Mais vas-y. J'écoute.

De mon mieux, la gorge tremblante, je commence :

— *Qu'est-ce que vous voulez, mon papa ? Ma belle-maman m'a dit que vous me demandez.*

— Assez ! Ce n'est plus le moment de trembler. Aujourd'hui, tu es sur scène. Ta voix m'agace Louison. Je regrette que Molière t'ait invitée comme actrice dans la troupe. J'espère que ta façon de jouer ne va pas contrarier la mienne.

Puis maman s'arrête. Me regarde et ajoute :

— Tout de même...

— Tout de même ?

Elle reprend avec une voix attentive que je ne lui connais pas :

— Tout de même, tu as progressé. Tu ne te balades plus sous les tables. Tu aimes le théâtre. Nous allons être tous les trois, avec ton père. Ne rate rien.

— Je me suis beaucoup préparée.

Maman me dit, presque aimable :

— C'est bien.

Et elle reprend ses exercices de lèvres et de visage.

Après avoir entendu ces phrases de maman, je sens une douceur que je n'avais jamais connue.

Pendant la matinée, nous récitons tous les trois nos lignes. Mme Molière arrive chez nous. Elle parle de ses inquiétudes.

— Il tousse à longueur de nuit. Il étouffe. Il grelotte de fièvre et travaille sans repos. Il crée déjà une autre pièce qui doit suivre *Le Malade imaginaire*. Il est parfois agité d'un rire fou de diable lorsque, sans doute, il pense à une idée nouvelle, à une réplique. Cela devient difficile de vivre avec lui.

Maman se lève de son fauteuil, prend la main de Mme Molière et l'emmène à part.

— Pourvu qu'il tienne. Que ferions-nous sans lui ?

Puis elle continue :

— Excusez-moi de vous parler de ma famille, pendant que vous êtes en soucis, Armande, mais c'est un grand événement pour Louison. Peut-être, un jour, deviendra-t-elle une actrice.

Est-ce que j'ai bien entendu ? Encore une fois, maman dit quelque chose de gentil sur moi. J'ai envie de lui prendre la main. Mais je reste à distance et je me tais.

On déjeune d'un repas préparé par les deux cuisiniers. Maman leur avait commandé du « léger ». Sur scène, il faut respirer beaucoup, pas digérer. On boit aussi très peu. Maman m'a donné le droit de rester à table avec les grandes personnes. Le menu : un pigeon dans une croûte dorée. Des pommes fondues dans du miel. Et c'est tout.

— Est-ce que ça allait ? demande Guillaume.

— Très bien.

Cette-fois ci, maman me paraît trop aimable. Ou elle rage et se retient. Ou elle attend avec impatience le spectacle. Ou elle pense à moi, ce dont je doute encore.

Une dernière fois, les acteurs venus au repas récitent quelques lignes. M. Molière est au théâtre. Il aime méditer seul avant les représentations.

Maman (*Toinette, la bonne*) parle avec papa

(*Thomas Diafoirus, le fils du médecin*). Mme Molière (*Angélique, ma grande sœur*) dialogue avec *Cléante*, son bel amoureux.

Moi, *Louison*-Louison, j'écoute ce groupe de gens, vrais, pas vrais ; réels, acteurs ; tout mélangés qui discutent ensemble chez nous avant de jouer leur rôle au théâtre.

Frosine se réjouit. Sûrement, on plaira à la grande foule qui viendra nous voir.

***

On part dans un fiacre tout de suite après le déjeuner pour être au Palais-Royal à une heure de l'après-midi. Il n'y a jamais de représentations en soirée. C'est une loi de la ville : tous les spectacles doivent finir avant la nuit. Les lampadaires ne donnent qu'une petite lumière. Il faut éviter dans l'obscurité les batailles de spectateurs violents, impossibles à contrôler. Et des voleurs à la quête d'une bourse.

Au carrefour, j'aperçois une affiche :

VENDREDI 10 FÉVRIER 1673
LE MALADE IMAGINAIRE
MOLIÈRE

Pas de noms pour les acteurs, les actrices, l'orchestre, les ballets, M. Vigarini pour les décors. La pièce, c'est nous tous ensemble.

Le rideau est baissé. M. Molière est dans sa loge, seul. Il est habillé en malade : il porte de gros bas, une robe de chambre rouge-brun, un mouchoir autour du cou, un bonnet de nuit. Il réfléchit et ne voit pas sa troupe.

On met nos costumes superbes, en velours, en taffetas, en satin, en soie. La Cour du Roi donne les vêtements de luxe au théâtre. On rabiboche ces costumes d'un acteur à l'autre, d'une représentation à l'autre. Ils durent longemps. C'est une bonne économie. Papa m'a dit que M. Molière, en tant que directeur, veille à la qualité des représentations et à son argent.

Je suis dans la loge de Mme Armande. Maman est à côté. Elle qui avait été de bonne humeur pendant le repas rouspète :

— Ces spectateurs aux billets réservés arrivent quand ils veulent. Eux ne se pressent pas ! Ça, c'est la Cour. Et puis il y a les gens qui font la queue. Et ça crie ! Et ça pousse ! Ce que le peuple m'agace.

— Taisez-vous, Jeanne, dit M. Molière. Ce sont les gens qui nous font gagner notre vie. Je les respecte. Respectez-les.

Papa jette un coup d'œil sur la salle. Ça va être plein.

Les chandeliers sont déjà allumés. Dans les coulisses, les acteurs attendent, maquillés et habillés.

Papa me glisse à l'oreille :

— Tu sais, allumer les chandelles c'était mon travail au théâtre Patephin, avant que je ne rencontre ta mère. C'est une petite responsabilité. Mais il faut faire attention. Un incendie avec la foule, ce serait un terrible désastre.

Les gens du parterre sont serrés les uns contre les autres. Debout.

Dans les galeries et les loges sont installés les marquis et les marquises tout poudrés et enrubannés. Et puis directement sur la scène, pour qu'on les voie bien, des marchands riches sont assis sur des chaises en paille.

La foule crie : « Commencez ! Commencez ! »

M. Molière, dans les coulisses, retient le signal pour faire lever le rideau. Papa me dit qu'il laisse monter l'attente du spectacle dans la salle. Le désir de la représentation ne doit pas être satisfait trop vite. Bientôt, le rideau s'enroulera, selon la tradition du Palais-Royal.

On se met en cercle et on se serre les mains.

C'est M. Molière qui a inventé ce moment de calme pour ses acteurs pendant que la foule crie dans la salle. L'haleine de la troupe se mêle. Les acteurs échangent leur rôle de façon invisible.

Intimidée par ce moment solennel, je ferme les yeux. Je suis la plus petite et je ne sais pas si l'on me regarde.

Enfin, tout semble en place. Plus de bruit dans les galeries ni dans les loges. Et le parterre est silencieux.

M. Molière est sur la scène, seul dans sa chambre, assis. Il donne le signal. Le rideau se lève.

Je tremble et m'appuie contre un mur. Dans une heure et demie, ce sera à moi. Je suis une vraie actrice attendant son vrai rôle. Bientôt, je parlerai avec M. Molière dans sa chaise chauffeuse.

Tout démarre.

Le décor de M. Vigarini est superbe. Le fond est un escalier en trompe-l'œil. Les meubles sont en vert et jaune, les tons préférés de M. Molière.

Tout le monde s'exclame : « Oooh ! »

C'est le premier acte.

M. Molière ne tousse pas une fois. Il ne sort

pas son grand mouchoir. Son lourd bonnet de laine et sa robe de chambre ne semblent pas trop pesants. Il n'essaie pas de desserrer son foulard blanc autour du cou pour mieux respirer.

Les spectateurs sont d'une humeur joyeuse. Un flot de rires roule sur la scène et dans la salle. Maman apparaît. Elle est ravie. Son rôle de Toinette marche bien. Elle se moque du malade imaginaire comme il faut.

Pendant le premier acte, ma peur augmente. Frosine est dans la salle. Je n'ai pas voulu qu'elle vienne avec moi dans les coulisses. Et je n'ose pas me faire rassurer par papa ou maman. Je suis une actrice. Je respire lentement. Quand ce sera mon tour, personne ne sera là pour m'aider.

Puis, vient le premier intermède où des danseurs et des violons prennent la scène. Des coulisses, je les regarde. M. Lully, bien que fâché contre M. Molière, a composé une belle musique. La salle est enchantée.

Le deuxième acte commence.

Papa, lourd, benêt, invite les gens à crier : « Foi-rus ! Foi-rus ! »

Ce tapage, tout le monde en a l'habitude. M. Molière satisfait la joie de ses acteurs et de ses spectateurs. Il donne des signaux discrets pour de courts arrêts. Les acteurs reposent leur voix, plutôt que de couvrir les brouhahas des gens. Et les spectateurs rient autant qu'ils veulent.

Bientôt, ça sera la scène 8, où j'apparaîtrai.

Maman me regarde avec un sourire que je ne reconnais pas. J'ai même l'impression qu'elle me fait un clin d'œil et qu'elle hoche de la tête. Papa me tape l'épaule.

Je chuchote :

— Je dois réussir très bien.

— Nous te faisons confiance.

Maman est sur scène dans son rôle de Toinette. La salle rit de nouveau à pleines forces.

Scènes 2, 3, 4, 5, 6, 7.

À mon tour.

J'entre. J'oublie les regards de la foule de spectateurs. Je suis seule avec M. Molière. Et je dis très fort pour que l'on m'entende jusqu'au fond de la salle :

— *Qu'est-ce que vous voulez, mon papa ? Ma belle-maman m'a dit que vous me demandez.*

M. Molière :

— *Oui. Venez ça, avancez là. Tournez-vous, levez les yeux, regardez-moi. Eh !*

J'avance. Je me tourne. J'approche. Je lève les yeux. Je regarde M. Molière et je dis :

— *Quoi, mon papa?*

M. Molière :

— *Là.*

— *Quoi?*

Je dis ce «quoi» si fort, que toute l'assistance éclate de rire. M. Molière me fait signe de laisser les gens rire.

M. Molière :

— *N'avez-vous rien à me dire? N'avez-vous rien vu aujourd'hui? [...]*

— *Non, mon papa. [...]*

M. Molière :

— *Voici qui vous apprendra à mentir.*

Il va pour prendre un fouet. Mon cœur bat. Je me calme et respire. Bientôt, il faudra que je bascule. M. Molière fait semblant de me frapper. Je me protège du fouet et je crie :

— *Ah! mon papa, vous m'avez blessée. Attendez: je suis morte!*

Et à ce moment, je tombe à la renverse, les bras en croix, les yeux fermés, le corps immobile, comme j'avais fait dans le salon chez nous. Les spectateurs ne savent pas s'ils doivent rire ou s'inquiéter. Est-ce qu'il a blessé cette petite fille?

M. Molière :

— *Holà! Qu'est-ce là? Louison, Louison.*

Ah, mon dieu ! Louison. Ah ! ma fille ! Ah ! malheureux, ma pauvre fille est morte. Qu'ai-je fait, misérable ! Ah ! ma pauvre fille, ma pauvre petite Louison !

Il se frappe le front à plusieurs reprises et se lève de son fauteuil, oubliant sa maladie imaginaire. Plein d'inquiétude, il s'abaisse près de moi m'embrassant et me caressant les cheveux. Brusquement, je me relève. La salle rit.

— *Là, là, mon papa, ne pleurez point tant, je ne suis pas morte tout à fait.*

Tout d'un coup, j'hésite. Est-ce que j'ai bien joué mon rôle de morte qui se réveille ? Ça va. Je me maîtrise complètement.

Je sais qui je suis et à qui je parle. M. Molière est le malade imaginaire. Et moi, je suis sa fille, la petite sœur d'Angélique qui doit surveiller si elle embrasse son ami ou non.

M. Molière :

— *Voyez-vous la petite rusée ? Oh çà, çà ! je vous pardonne pour cette fois-ci, pourvu que vous me disiez bien tout.*

— *Ho ! oui, mon papa.*

— *Prenez-y bien garde au moins, car voilà un petit doigt qui sait tout, qui me dira si vous mentez.*

Et il soulève son doigt et le fait bouger près de moi.

— *Mais, mon papa, ne dites pas à ma sœur que je vous l'ai dit.*

M. Molière :

— *Non, non.*

— *C'est, mon papa, qu'il est venu un homme dans la chambre de ma sœur, comme j'y étais.*

— *Qu'est-ce qu'il lui disait ?*

— *Il lui disait je ne sais combien de choses.*

— *Et quoi encore ?*

— *Il lui disait tout ci, tout ça, qu'il l'aimait bien et qu'elle était la plus belle du monde [...]*

M. Molière met son petit doigt dans l'oreille.

— *[...] Oh ! Oh ! voilà mon petit doigt qui me dit quelque chose que vous avez vu, et que vous ne m'avez pas dit.*

Je baisse la tête, et fait une moue attristée. Les spectateurs éclatent de rire.

— *Ah ! mon papa, votre petit doigt est un menteur.*

— *Prenez garde*, dit-il d'une façon menaçante.

— *Non, mon papa, ne le croyez pas, il ment, je vous assure.*

— *Oh bien, bien ! nous verrons cela. Allez-vous-en, et prenez bien garde à tout : allez...*

Et il me chasse avec une tapette.

En trébuchant, je m'échappe dans les coulisses. Je mets mon front contre le mur. J'entoure ma nuque de mes mains. Papa et maman me soufflent dans chaque oreille :

— Très bien, Louison.

Mais déjà on m'oublie, c'est le deuxième intermède.

Un moment pour se reposer. Les acteurs boivent un peu d'eau avec du miel. Je ne suis pas loin des spectateurs sur la scène. Et j'entends des bouts de phrase :

— Qui est cette enfant ?

— Pas mal du tout.

— Un joli petit rôle.

— Une fille d'acteur ?

— Un bon début.

— La Beauval était superbe, mieux encore que d'habitude.

— Armande est délicieuse, sa diction pure et transparente.

— Ce grand dadais de Diafoirus est dans sa peau.

— Molière est une merveille

— Divin.

— Suprême.

— Sans Molière, Paris ne serait pas Paris.

Frosine vient dans les coulisses pour me féliciter. Je lui demande d'écouter les remarques des spectateurs, de s'en souvenir et de me les répéter quand on sera à la maison.

N'ayant plus rien à faire, je me repose pendant le troisième acte. Dans le miroir de la loge d'Armande, mon visage ne semble pas vilain. Enfin, je ne suis plus un singe. J'appuie mon index sur mes trois mouches pour être sûre qu'elles restent en place. Je mérite d'être une actrice.

Les yeux fermés, je me rêve, descendant des escaliers en grande pompe. Je m'installe dans un carrosse qui m'emmène au Palais-Royal.

M. Molière me réveille et me serre la main.

— Félicitations, ma grande. Ne t'endors pas ! Tu as le droit de venir *Aux Bons Enfants* avec toute la troupe.

Je rougis en silence.

Les acteurs et les actrices viennent saluer les spectateurs. De nouveau, je suis fière comme la première fois où M. Molière m'avait proposé de jouer au Palais-Royal. J'étouffe de plaisir. Je suis entre les parents, mais, grande, je ne tiens pas leurs mains.

Le rideau tombe.

Une fois les applaudissements calmés, c'est le silence dans la salle. Seul, M. Molière sort des coulisses et passe devant le rideau. Il remercie l'assemblée de son bon accueil, de sa bonne humeur et l'invite à revenir.

Les spectateurs applaudissent encore. Je me demande s'il va me présenter comme une nouvelle actrice. Il ne dit rien. J'avais rêvé.

Monsieur Molière met ses deux mains sur mes épaules :

— Louison, tu verras que notre vie est fatigante. Si le roi exige une représentation de cette pièce dans un de ses châteaux, il faudra tout déménager très vite : les décors, les instruments de musique, les costumes, nous, tout. On doit s'adapter avec bonne humeur à des changements de scène. Tu seras prête à supporter ça ?

— Monsieur Molière, je n'ai pas peur d'être une actrice. Je l'ai désiré.

Il y a une représentation dans deux jours. Je passe mon temps à répéter mon rôle dans le grenier. Avec le souvenir de cette immense salle, je n'ai plus l'impression d'être seule.

Chapitre 7

Il fait froid.

Nous louons un fiacre et pour nous protéger nous enroulons nos jambes dans des peaux de renard. On porte tous des manchons que l'on enlèvera dans nos loges au Palais-Royal.

M. Molière a préféré déjeuner chez nous plutôt que d'aller seul au théâtre, comme il le fait d'habitude. Peut-être a-t-il besoin de l'aide de papa et maman parce qu'il a l'air plus malade et tremble. Sa tête est appuyée contre la paroi du fiacre, il marmonne un poème :

Je vis, je meurs ; je me brûle et me noie.
J'ai chaud extrême en endurant froidure.
Ma vie m'est et trop molle et trop dure.

J'ai grands ennuis entremêlés de joie.

La troupe, venue d'autres maisons, se retrouve dans les coulisses. Maman se farde dans sa loge. M. Molière donne une poignée de main à ses acteurs et actrices pour leur souhaiter bonne chance. Je suis dans la loge d'Armande. La porte est entrouverte et j'écoute :

— Molière, vous vous êtes donné un rôle énorme, dit maman. Vous vous épuisez. Il va bien falloir qu'un jour vous vous reposiez.

— Jamais ! s'écrie M. Molière avec une rage que je ne lui ai entendue qu'une fois, lorsque maman n'avait pas voulu que j'entre dans la troupe. Ne me dites pas d'horreurs juste avant le spectacle. J'ai besoin de toutes mes forces.

Moi, je voudrais lui prendre la main, lui rappeler notre secret. « Je suis comme votre enfant, n'est-ce pas ? Vous aviez créé notre scène pour cela. Vous vous souvenez ? »

Il laisse la loge de maman et vient dans celle de sa femme. Il est violacé et baisse la tête, comme s'il allait s'effondrer.

Armande pose sa main sur son bras :

— Jean-Baptiste, il y a un an, ma sœur mourait. Madeleine était ta grande amie. Aujourd'hui, je pense à votre amitié.

— Hier, c'était l'anniversaire de la mort de Madeleine.... Moi aussi, je pense à elle. Elle était une actrice merveilleuse. J'aimerais avoir sa compagnie. Je suis épuisé, Armande. Beaucoup de souvenirs et d'inquiétudes pèsent sur moi. La mort de notre fils. Les inquiétudes constantes du théâtre. Lully. Les salaires de tous. Je me débrouillerai pour les finances, ma compagnie doit être payée correctement, sans l'argent du Roi. Ton talent doit assurer le succès de ce soir. Oublions nos disputes. Cette représentation doit être superbe comme les autres.

— Tu trembles, Jean-Baptiste. Et tu es distrait. Tu as oublié de peigner ta moustache. Elle est toute en bataille. Calme-toi. Contre quoi te bats-tu ?

— Contre moi-même, Armande. Cette maladie ronge ma poitrine. Heureusement que j'ai cette petite Louison.

Et en disant cela, M. Molière vient m'embrasser et me pince le menton, selon son habitude.

— Tu es mignonne, une toute petite grande actrice. Tu es un réconfort pour moi.

Puis il dit à sa femme :

— Elle a tout appris très vite et avec soin. Elle aura un grand talent.

Il ferme les yeux et presse son front :

— J'ai l'impression que je vais m'écrouler. Que feriez-vous tous ? Personne ne peut me remplacer. Trop de choses dépendent de moi.

Une maquilleuse de scène me grime dans un coin de la loge. Elle me fait des ronds sur les joues. Elle presse sur ma pommette, haut sous l'œil, deux mouches, et une au coin de la lèvre. Je fais semblant de ne rien entendre du dialogue entre M. Molière et sa femme. En fait, j'écoute tout.

— Aujourd'hui, tu t'inquiètes plus de toi que de tes acteurs.

— Je voudrais être loin du théâtre. Ne pas avoir un rôle trop énorme que je ne puisse affronter. Je n'ai pas osé dire cela à Jeanne.

— Si tu montres de la lassitude, on saura ce qu'il faut faire sur la scène. Compte sur nous et ne t'inquiète de rien.

L'habilleuse vérifie que ma robe est bien fermée. Elle rectifie quelques rubans. Je me souris dans le miroir.

M. Molière me dit :

— Louison, tu es un ange. Quand je te

parle c'est comme si je n'avais pas de diable dans la gorge.

Dans la salle, la foule se pousse. Déjà, sur la scène, les chaises sont prises. Ceux qui payent cher les billets s'installent aux galeries et aux loges. Beaucoup de gens sont revenus, prêts à acheter une nouvelle place pour leur quatrième représentation.

Assis dans sa chaise, comme une marionnette écroulée, M. Molière donne l'ordre de faire soulever le rideau.

C'est le début.

***

Le premier acte est brillant. La salle est de nouveau joyeuse. Les acteurs prononcent leurs lignes fort pour couvrir les rires et pour que le dialogue demeure clair. La troupe veille sur Molière. Il a l'air de tenir.

Au premier intermède, M. Molière s'appuie contre le mur dans les coulisses. J'entends : « Il ne fait pas ça durant un spectacle. Normalement, il maintient la bonne humeur de tous. » Sa tête tombe une fois sur sa poitrine. Il la relève et regarde en face. Puis il dit :

— Mes amis, il faut aller jusqu'à la fin, vous

m'entendez ? Les gens ont payé leur billet pour s'amuser et se distraire. Nous ne devons pas les décevoir. La Troupe Royale ne lâche pas. Vos salaires sont en jeu : nous ne pouvons rien rembourser.

— Molière, toi, ça ira ? demande un acteur.

— Ça va, dit-il sur un ton sombre.

Et M. Molière jette ses épaules en arrière, redresse le menton. Mais il chancelle. Avec tous et toutes, je le regarde, inquiète. Moi, je me demande ce que je devrais faire s'il est pris de ses toux incontrôlables quand on sera en scène tous les deux.

Deuxième acte. Scènes 1, 2, 3, 4, 5, 6, 7, à mon tour.

— *Qu'est-ce que vous voulez...*

Je sens la fatigue de M. Molière. Il est effondré sur son fauteuil de malade imaginaire. Je suis sûre de moi, mais j'ai peur pour lui. Il prend le fouet en hésitant. Il se lève avec peine. Il m'avait dit : « Si tu hésites, Louison, respire. » Je respire profondément entre mes répliques. Mais je pense : « Pourvu qu'il puisse respirer, lui, une fois et une fois et encore une fois. »

Il s'approche de moi.

— *... je suis morte !*

Je tombe à la renverse.

— ... *Qu'est-ce là !...*

Est-ce que l'on va y arriver tous les deux ? Est-ce que les spectateurs se doutent de notre fragilité. Qui a la responsabilité de cette scène, lui ou moi ?

— ... *Allez-vous-en et prenez bien... Allez !*

Notre scène est maîtrisée. Nous sommes arrivés à échanger nos répliques jusqu'à la fin. Je quitte le plateau en trébuchant vers les coulisses, selon le jeu prévu.

Deuxième intermède. Les chanteurs accompagnent les danseurs. Les gens hochent de la tête en écoutant la musique charmeuse de M. Lully :

Profitez du printemps
De vos beaux ans,
Aimable jeunesse ;
Profitez du printemps
De vos beaux ans
Donnez-vous à la tendresse.

M. Molière est dans la loge de sa femme. Elle lui met de l'eau sur le front et lui fait respirer un parfum. Il éponge son cou.

Troisième acte. Troisième intermède.

M. Molière joue à nouveau. Le malade imaginaire va devenir *bachelierus en medicina*. On lui présente un livre. Il pose sa main droite dessus pour promettre qu'il dira toujours la vérité. Il s'occupera beaucoup des médecins et de leur argent, pas beaucoup des malades et de leur maladie. Le corps de ballet fait une ronde autour de lui. On le félicite d'être un *bachelierus*. Et on lui demande d'être « honnête » pour la vie entière.

Il répond :

— *Juro.*

Au moment même où il prononce ce mot, il hoquette et tombe à genoux. Il sort de sa poche un mouchoir où il crache un flot de sang. Très vite, il se tourne vers les coulisses. Son dos cache aux spectateurs ce qui vient d'arriver.

La troupe comprend. Pourtant, il ne faut pas s'arrêter. Les danseurs le dissimulent. Avec courage, il prononce d'un ton sourd sa dernière tirade. On chante très fort :

— *Vivat, vivat, vivat, vivat, cent fois vivat,*
Novus Doctor, qui tam bene parlat !

On va jusqu'à la fin de la pièce. Le rideau se déroule.

M. Molière est immobile, raide, à plat ventre sur la scène, écrasé. Du sang coagulé pend de sa bouche. Comme une bête blessée, il se relève, puis s'écroule.

Dans la salle, les applaudissements et les cris éclatent de partout. On demande à Molière et à sa troupe de se présenter. Lui brûle de fièvre. Le rideau ne s'enroule plus. Il demande avec nervosité ce que l'on dit de sa pièce.

Maman l'assure que c'est un grand succès comme les autres fois. Les rumeurs des spectateurs s'apaisent.

Ils ne comprennent pas ce qui s'est passé. Et peu à peu, la salle se vide

— Ils ont été heureux, dit encore maman. L'illusion du théâtre est restée jusqu'au bout.

— Je les ai bien entendus. Hélas ! moi, j'ai peur. J'ai un froid qui me tue.

Il est soutenu par deux acteurs hors du théâtre ; ses pieds rapent le sol ; son visage est barbouillé de sang ; sa tête tape sur sa poitrine. Papa fait appeler une chaise à porteurs.

— Pourvu que quelqu'un sache comment le sauver, dit Armande. Un médecin. Un bon médecin. Pas une personne comme il en a eu des visions d'horreurs dans son *Malade imaginaire*. Moi, je connais sa maladie et ses craintes.

***

On ramène M. Molière rue de Richelieu, dans son appartement.

— Viens avec tout le monde, Louison, me dit Frosine. J'ai l'impression que M. Molière serait heureux de t'avoir à côté de lui.

Papa me prend la main, fermement :

— Viens, Louison. On ne va pas s'éloigner de notre directeur au moment même où il a besoin de savoir qu'il a une troupe.

Rue de Richelieu. On monte. M. Molière est déjà sur son lit, couvert de sueur. Il respire à tout petits coups. En m'apercevant, il me fait signe de m'approcher et me prend la main :

— Ma Louisette, félicitations pour la pièce. Tu as très bien joué.

Je souris. La troupe est tout autour de lui. Armande lui apporte un bouillon clair qu'il refuse de boire.

Il ouvre les yeux et nous fixe à la ronde :

— Vous êtes mes amis et vous êtes tous là. Vous tous...

Il demande à son valet un morceau de pain et de fromage. Il mâche lentement et sans peur.

Devant son calme, ses acteurs et ses actrices ont soudain bon espoir. Est-ce qu'il reprend vie ? Ce n'était peut-être qu'une attaque. Mais à nouveau, il a une quinte de toux. La troupe se serre les mains comme avant une représentation, recueillie.

Il souffle :

— Mes amis, ne vous inquiétez plus. Vous avez entendu ma gorge se fâcher bien davantage. Nous sommes un groupe unique et je vous ai aimés. Vous avez beaucoup travaillé pour moi et je vous ai servis. Maintenant, il faut que vous fassiez venir un prêtre. J'ai toujours été un bon chrétien.

Mme Molière est allée chercher un prêtre. Aucun ne veut venir. M. Molière est un acteur. L'Église trouve le théâtre dangereux. Durant les spectacles, les gens s'amusent et oublient leur vie quotidienne. Moi, je me souviens de l'effroi des ursulines qui m'avaient renvoyée de chez elles.

Quand Armande revient, M. Molière a les yeux fermés, les doigts crispés sur son drap.

Et, à dix heures du soir, après un profond soupir fatigué, il meurt.

***

La nuit de l'enterrement, je tiens un cierge dans un chandelier d'argent. On fait descendre le cercueil par la fenêtre, car les escaliers de la maison sont trop étroits. On se rend lentement au cimetière. Je mène un groupe d'enfants du quartier qui portent des chandeliers semblables au mien.

La troupe et ceux qui travaillent pour le théâtre sont là : les acteurs et les actrices, les danseurs, les chanteurs, les musiciens, et ceux qui font les décors et les costumes. Et beaucoup de spectateurs et spectatrices qui venaient à toutes ses pièces.

Grâce à la permission du roi, on l'enterre dans le cimetière Saint-Joseph, près d'une croix au pied de laquelle on dépose une couronne de buis. En cachette, je prends la main de Frosine, et je pleure.

Mlle Madeleine est morte un an et un jour avant son ami. Elle avait renoncé à son travail d'actrice. M. Molière n'aurait jamais dit : « Je ne suis pas un acteur. » Je ferai pareil : mon travail sera, je l'espère, toute ma vie.

***

J'ai mon drap sur la tête, comme je le fais souvent depuis la mort de M. Molière. Cela me donne l'impression d'avoir moins peur. Maman entre dans ma chambre, soulève mon drap et s'asseoit sur le bord de mon lit. Elle pose sa main sur mon front, et me dit avec affection :

— C'est superbe la façon dont tu joues. Tu mérites bien d'être dans la troupe et pourtant Molière était très exigeant. Il ne t'aurait jamais donné un rôle s'il n'avait pas vu que tu étais capable de réussir. Ses pièces devaient être parfaites.

C'est un tel compliment que je n'arrive pas à penser que maman ne se moque pas de moi. Je la regarde. Non. Elle est admirative et sérieuse. Puis elle met ses mains sur mes joues et se penche vers moi pour m'embrasser. Afin de me protéger d'une affection dont je n'ai pas l'habitude, je tire mon drap sur ma tête. Et, silencieuse, maman, qui a dû comprendre que je n'étais pas prête à accepter son nouveau visage, quitte ma chambre.

Je ne raconte rien à Frosine sur ce qui s'est passé avec maman. C'est mon secret.

***

Souvent, je vais avec Frosine au cimetière Saint-Joseph, près de la croix. Nous apportons des feuillages en tissu. Sur la tombe, pour M. Molière, je récite des lignes de ses pièces que j'apprends par cœur. J'espère que, quelque part, il m'entend.

Chapitre 8

Le Palais-Royal ne ferme pas. Mes parents gardent leur métier.

Huit jours après la mort de M. Molière, Armande dit que le théâtre doit reprendre. On a l'impression qu'elle oublie son mari. C'est comme si on n'avait pas souffert ensemble. Mais les acteurs pressentent que l'on ne peut pas laisser la troupe s'endormir. La situation de tous en dépend.

Mme Molière dit à la troupe rassemblée chez elle :

— Nous sommes les acteurs du plus grand théâtre de Paris. Le spectacle doit continuer même après la catastrophe. Le Palais-Royal est un lieu de travail exigeant, séduisant, où aucune médiocrité n'a été tolérée du temps de Molière. Le public le sait. Il y arrive en masse à chaque représentation. Toi, La Grange, tu remplaceras Molière. À tous les deux, nous dirigerons le Palais.

La Grange reprend tout de suite *Le Malade imaginaire*. Moi, je garde mon rôle de Louison.

On prépare un programme :

Le Bourgeois gentilhomme
L'Avare
Tartuffe
Les Précieuses ridicules
Le Malade imaginaire

Et avant les représentations, comme nous le faisions avec M. Molière, on se serre les mains pour que les mots se mêlent.

***

Depuis mon rôle de Louison, il n'y a plus eu de grands événements. Est-ce que les souhaits de ma vie se sont arrêtés ?

Naïve et affectueuse, Frosine pense que tout va bien. Acte II, scène 8, pour une petite fille, ça a été une grande chance, un grand événement. J'ai été un bout d'actrice. Rien d'autre n'est à désirer.

Satisfaite, Frosine me voit grandir. Elle continue à jouer son rôle de gouvernante. J'ai eu un moment de gloire, cela devrait me satisfaire.

On lit. On va au théâtre. On apprend des textes par cœur. Tout est paisible et tout va bien.

Non ! Tout ne va pas bien !

On a de petites distractions lentes et minuscules. Nous faisons de la dentelle pour décorer mes manches. Je grignote les biscuits de Guillaume et Colin. On façonne des poupettes que nous mettons dans des berceaux. Je leur tricote des couvertures et nous les offrons comme jouets aux enfants pauvres.

— Pourquoi les fais-tu rouges, pas vertes et jaunes ? C'étaient les couleurs de M. Molière, me demande Frosine.

— M. Molière est mort. Voilà pourquoi elles sont rouges, ces poupettes, je réponds sur un ton désagréable.

Le soir, Frosine me tranquillise avec une camomille et des mots gentils. Cela m'exaspère. Elle ne me comprend plus et a oublié mon ambition. J'aurais voulu être devant le grand espace de la salle et entendre les applaudissements ;

sentir la présence des acteurs et des actrices ; progresser dans des rôles plus difficiles ; imiter des personnages ; porter des costumes somptueux ; aller *Aux Bons Enfants* ; voir M. Molière. Le dos contre les portraits de ma mère, je me cache au grenier, où certains jours le vent rampe sous les tuiles.

Maman, plus attentive envers moi depuis que je monte sur scène, comprend mes longs silences. Elle devine mes regrets. Et papa, en brave papa, attend que les années passent vite pour que je me trouve un mari.

Un grand événement arrive dans le théâtre. La Comédie-Française vient de remplacer le Palais-Royal, et la troupe de M. Molière. C'est une salle nouvelle à l'ordre du Roi. Papa et maman sont acceptés. Maman, soucieuse, s'efforce de m'y faire entrer.

La directrice de ce nouveau théâtre est une dame méchante et autoritaire : Victoire d'Angeville, une cousine du roi. Elle choisit ses acteurs selon ses caprices. Parmi ceux de l'ancienne troupe, elle en renvoie beaucoup. L'un est voûté. L'autre est ventru. Celui-ci n'est plus assez séduisant pour jouer les rôles d'amoureux. Celle-là a des dents abîmées.

Moi, je perds tout. Victoire d'Angeville n'en finit pas de m'insulter après ma première audition :

— Vous avez une gorge sans profondeur, mon petit. Je dirai même que vous avez une voix de bébé. Vous n'avez aucune expérience, j'en suis persuadée. Votre voix est un pioupiou de caneton. Jamais, vous n'arriverez à faire naître un seul sentiment chez vos spectateurs. Votre visage ne rayonne pas. Vos parents m'ont demandé de vous faire entrer à la Comédie-Française. C'est non, bien sûr. Et je vous supprime votre rôle dans *Le Malade imaginaire*.

Elle me remplace par une petite fille à qui j'aurais voulu donner des conseils. Je n'ai plus même le droit d'aller aux répétitions.

Tout le succès que j'ai eu avec M. Molière disparaît. Victoire d'Angeville me pousse dans la solitude en dépit des efforts de maman. En imagination, je parle avec M. Molière. J'apprends ses pièces et ses poèmes. Je garde l'illusion qu'il m'aimerait comme son premier enfant et me donnerait des rôles de plus en plus importants.

Maman comprend mon immense tristesse. À toutes les deux, en silence, nous partageons la douleur des actrices.

***

À dix-neuf ans, j'ai rencontré un perruquier. J'étais allée dans son magasin pour me faire coiffer. J'ai dû lui plaire parce qu'il m'a beaucoup souri.

Je ne l'aime pas vraiment, mais, selon le point de vue de papa, il peut devenir un mari. Ainsi, j'oublierai peut-être que je ne suis pas une actrice.

Frosine est toute contente : je lui donne l'impression d'avoir un métier utile.

Maman me dit :

— Les perruques n'agrandissent pas les têtes. Toi, Louison, tu sauras juger la vraie grandeur des gens.

Papa est heureux que je me marie. Jacques me montre beaucoup de gentillesse et me rassure.

Mon travail dans le magasin de Jacques est affreux. Tout est sale ici. Les gens viennent pour être propres. Ils sont satisfaits, et ne se rendent pas compte que tout est dégoûtant. Les carreaux des fenêtres sont enduits de poussière. Le savon acide ronge le sol. Des araignées pendent, mortes, le long de fils.

Nos clients sont enveloppés dans une toile qui leur couvre le corps. Nous ne lavons pas souvent ces tissus. La crasse d'un client passe à un autre. On leur met sur la tête des dizaines de papillotes que l'on aplatit avec un fer brûlant. L'odeur des cheveux roussis se fait sentir de partout. Jacques m'a demandé de surveiller les tresseuses qui roulent des masses de cheveux entre leurs doigts et les enveloppent de gras. Leurs jupes me semblent aussi écœurantes que leurs mains.

J'aspire l'air du magasin et j'étouffe. Je me mets à avoir peur, craignant d'attraper la maladie de M. Molière. Jacques me dit que c'est une illusion, une maladie imaginaire.

En après-midi, une fois par semaine, c'est moi qui ai insisté là-dessus, on enlève nos vêtements enfarinés et l'on met nos vêtements noirs, propres.

On va au théâtre.

Jacques ne se doute pas de mon immense émotion. Avec lui, je suis une spectatrice timide. J'aurais pu être une actrice applaudie. Je n'en parle pas à Jacques. Il n'aurait rien compris.

Papa et maman jouent dans toutes les pièces à la Comédie-Française. Maman fait toujours rire ; il me semble qu'elle est plus jeune que moi. Je ne suis pas jalouse de son succès ; peut-être a-t-elle plus de talent. Voir mes parents sur la scène me fait plaisir. Ils me rappellent le bout de grande joie que j'ai eu dans ma vie.

Lorsque l'on rentre chez nous, Jacques et moi,

on range soigneusement nos vêtements propres. On met de côté nos chemises de dentelles. Et on prépare les vêtements alourdis et poudreux.

***

Je reste en bonne santé. Mais c'est Jacques qui est tombé malade. Il tousse du plus profond de sa poitrine, tremble de fièvres qu'il n'arrive pas à contrôler.

Je ne vais plus au théâtre. Mon grand plaisir est supprimé. Papa me dit qu'il enverra auprès de Jacques un jeune apothicaire qui sera chargé de le surveiller. Mais, d'une semaine à l'autre, Jacques devient de plus en plus malade.

Un petit matin, après une nuit de mauvais sommeil, il soupire :

— Louison, je te laisse le magasin. Occupe-t'en. Je n'en peux plus. Je sens que je vais mourir.

Je vais lui chercher un bouillon qu'il boit lentement. Je l'embrasse sur le front. Puis il me prend la main. Il ferme les yeux. Un prêtre vient lui donner les derniers sacrements. Sa bouche s'ouvre. Ses mains se crispent. Ses bras et ses jambes se raidissent. Et il est mort.

Je l'ai fait enterrer à l'église Saint-Eustache. Dans l'église, je demande à trois flûtistes de jouer pour lui. Ce sont trois vieux musiciens qui venaient quelquefois à la maison.

***

J'ai vendu le magasin pour obtenir une somme d'argent qui me permettra de vivre sans habiter chez mes parents. Et je me fais une promesse : ma bataille pour devenir actrice n'est pas finie. Avec le souvenir de M. Molière, je me jure d'entrer à la Comédie-Française.

Têtue, je me présente devant la redoutable Victoire d'Angeville. Avec aisance, je lui récite six rôles des comédies de M. Molière. Impressionnée par ce tour de force, elle me dit néanmoins :

— Attends. Tu n'es pas prête à monter sur la scène.

Je travaille. Je m'exerce.

Victoire ne connaît pas mon immense désir et mon incroyable ambition.

C'est elle qui est venue me rechercher :

— Mademoiselle Beauval, j'ai du travail pour vous.

Elle m'offre de petits rôles.

J'ai vingt-cinq ans. Dans cette nouvelle représentation du *Malade imaginaire*, je suis l'amie de *Polichinelle*. Je joue dans l'intermède du premier acte. Je n'ai que des bouts de dialogue, mais je m'en contente. Je chante très bien le poème en italien.

Peu à peu, j'obtiens des rôles de suivantes, de servantes. Toute ma vie est heureuse dans l'ambiance du théâtre : être en compagnie d'autres acteurs et actrices ; mettre des costumes ; parler dans un décor ; exercer la mémoire ; jouer avec l'imagination ; murmurer avec des amis dans les coulisses ; être accompagnée de musique ; attendre les applaudissements des spectateurs ; garder le souvenir de M. Molière ; et, pour moi, penser qu'un jour je serai peut-être Angélique, grande sœur de mon enfance !

Lorsque j'ai mon contrat à la Comédie-Française, je fais la connaissance d'un acteur qui me plaît tout de suite. Il a un visage doux et charmant. De grands yeux accueillants et sans méchanceté. Il n'est pas agressif. Comme M. Molière, il a une moustache fine que j'ai envie de caresser. Il a une bouche ronde. Et une passion pour son métier.

Quand je le rencontre, il joue dans *Le Bourgeois gentilhomme*. Il est Cléonte, l'amoureux de Lucile. Moi, j'ai un beau rôle : je suis Lucile, la fille du bourgeois gentilhomme. Dans les coulisses, la troupe fait des blagues sur nos yeux doux. Maman qui joue encore, bien qu'elle ne soit plus jeune, me suggère de ne pas mélanger le théâtre et la réalité.

— J'ai vingt-cinq ans, maman, et je suis amoureuse. C'est l'ami à la fois vrai et idéal. Vous et papa, vous êtes aussi au théâtre tous les deux.

J'en parle à mon père :

— Je veux épouser Bertrand Beaubour. Nous nous entendons bien. Maman sait que je l'aime. Et nous aurons le même métier.

Papa s'exclame, heureux :

— Molière a écrit beaucoup de pièces où des pères contrarient le mariage de leurs enfants. Moi, je ne suis pas comme eux ! Tu voudrais te marier ? Très bien, ma fille ! Vous serez des acteurs. De la gaieté ! Du bon sens ! Tout ira bien, Louison. Sois heureuse. Ton enfance a été difficile. Il faut tout oublier.

Et puis, on signe devant un notaire. On fait seulement une cérémonie discrète à l'église. Bertrand est plutôt heureux de ne pas avoir à supporter une grande fête de mariage. Il ne va pas à l'église chaque dimanche. Il se contente de célébrer Noël, Pâques, la Pentecôte. Quelquefois l'Ascension et la Toussaint.

J'adore Bertrand comme un brin de muguet. Nous voulons faire partager notre joie. On invite souvent mon père et ma mère et des tas d'amis du théâtre.

Frosine vit chez moi. Je ne sais pas si c'est moi qui m'occupe d'elle dans sa vieillesse ou si c'est toujours elle qui s'occupe de moi. Bertrand est plein d'affection pour Frosine et comprend bien que ma gouvernante a protégé toute mon enfance. Pour l'aider, j'ai mis à sa disposition une jeune femme de chambre.

Nous avons un cuisinier qui varie ses repas comme des répliques de comédies. Il présente des petits oiseaux en équilibre sur des champignons ; des brochets décorés de feuilles de vigne ; des côtelettes piquées de branches de thym. Il fabrique des crèmes au chocolat sur lesquelles flottent des galettes de beurre, et de la pâte de pomme frite en tortillons. Et il assure qu'il ne servira jamais deux fois le même potage lorsque j'aurai des dîners.

Bertrand et moi, nous mêlons notre travail et notre amour. De temps à autre, nous jouons avec succès un premier rôle au théâtre et nous sommes ensemble sur la scène. Ce sont les jours où nous avons les grands applaudissements, notre récompense.

***

Un jour, Bertrand trouve dans un coffre de la maison le foulard taché de rouge. Il me demande ce que c'est.

— Il appartenait à maman. Je l'ai trouvé dans le grenier de la rue Mazarine où il y avait aussi un portrait de maman avec ce même foulard autour du cou. Ça me rappelle notre vie d'acteur. Lorsqu'on est sur scène, on est à la fois vrai et pas vrai, réel et irréel, dur comme roc et fragile comme cristal, sûr de la vie et proche de la mort. Mais une fois, j'ai eu la chance d'être toute unie. J'étais une actrice et j'étais moi-même. C'est lorsque j'ai joué Louison. M. Molière avait inventé cela. Je crois qu'il m'avait aimée comme si j'avais été un de ses enfants.

Bertrand met ses mains sur mes joues et dit :

— Louison-*Louison*. Je vous garde toutes les deux avec moi.

Marie-Christine Helgerson

L'auteur est née à Lyon, où elle a fait des études de philosophie. À vingt-et-un ans, elle est partie vivre aux États-Unis, où elle réside aujourd'hui, en Californie.

« *Louison et monsieur Molière* a été créé en collaboration avec mon mari qui est critique littéraire à l'université de Santa Barbara, notre ville. C'est lui qui a trouvé Louison, en faisant des recherches sur Molière. J'ai été frappée par l'histoire de cette actrice/enfant et j'ai voulu la partager avec des jeunes de maintenant.

« D'autres livres de moi ont inspiré des classes pour créer des pièces de théâtre. Je souhaite vivement qu'il en soit de même avec Louison.

« Si vous voulez me trouver sur internet, voilà mon adresse : http ://home1.gte.net/rhelgers. »

Du même auteur en Castor Poche :
Quitter son pays, Castor Poche n°30 ;
Claudine de Lyon, Castor Poche n°100 ;
Dans les cheminées de Paris, Castor Poche n°119 ;
L'apprenti amoureux, n°288 ;
Moi, Alfredo Pérez, n°260 ;
Dans l'officine de maître Arnaud, n°333 ;
Vas-y Claire, n°506.

Marcelino Truong

L'illustrateur de la couverture est né en 1957 à Manille (capitale des Philippines), d'un père vietnamien et d'une mère française. Il passe une enfance voyageuse au Viêt Nam, aux États-Unis et en Angleterre. Après Sciences-po, l'agrégation d'anglais et d'innombrables petits métiers, à vingt-cinq ans, il choisit la vie d'artiste. Il a appris le métier d'illustrateur sur le tas en multipliant les collaborations dans la presse, l'édition et la publicité. Marcelino Truong a illustré de nombreux livres pour la jeunesse chez différents éditeurs, ainsi qu'une bande dessinée sur le Viêt Nam des années vingt.

Il se consacre aussi à la peinture avec toujours son thème de prédilection, le Viêt Nam, où il se rend régulièrement. Il vit à Paris, avec sa femme et ses deux filles, qui montrent déjà d'évidentes dispositions pour le dessin.

Molière (1622-1673)

Molière, de son vrai nom Jean-Baptiste Poquelin, est l'un des plus grands dramaturges français. Il reste un modèle et une référence. Son père souhaite qu'il devienne tapissier du roi, mais le jeune Molière aime trop le théâtre pour s'en éloigner. Il abandonne ses études de droit et se joint à la troupe des Béjart avec qui il crée *L'Illustre Théâtre*.

La troupe parcourt la province avant de s'installer à Paris et d'être protégée par le roi. Les comédies de Molière plaisent et sont tout autant appréciées aujourd'hui : *Les Fourberies de Scapin, Le Médecin malgré lui, L'Avare, Le Bourgeois gentilhomme, Le Malade imaginaire*. Il écrit aussi des pièces plus sérieuses : *Dom Juan, Le Misanthrope ou Tartuffe*.

Comme le roi prend beaucoup de plaisir à danser, Molière introduit dans ses pièces des ballets écrits par Lully*, et il n'est pas rare que le roi participe au spectacle. Un nouveau genre théâtral voit le jour : la comédie-ballet, qui rassemble la comédie, la musique et la danse.

Les spectateurs rient beaucoup en voyant les comédies de Molière dont les personnages sont empruntés à la tradition comique de l'Antiquité : des médecins escrocs et charlatans, des faux savants, des hypocrites, des avares, et toujours le valet rusé qui trompe son maître.

Molière est lui-même acteur de talent, il a beaucoup appris des Italiens. Ses qualités de mime sont remarquables. Il entre sur scène les pieds largement écartés, comme le fera plus tard Charlot ! Sa démarche

* Lully (1632-1687) est l'un des musiciens et compositeurs les plus en vue à la cour de Louis XIV.

ou sa manière de parler ou de tousser* font rire tout le monde. Il joue le plus souvent le rôle du valet ou du vieillard.

Le théâtre au temps de Molière

Au XVIème siècle, le théâtre en plein air n'existe plus vraiment. Bien sûr, on voit encore ici et là des acteurs qui installent leurs tréteaux sur une place, ou qui profitent d'une foire pour amuser les passants.

À Paris, les bateleurs du Pont-neuf (achevé en 1604) jouent des farces et font des acrobaties qui attirent les foules et fascinent les enfants. Molière, à l'âge de sept ou huit ans, aime s'y rendre avec son grand-père. Mais de plus en plus, les acteurs sont sollicités pour venir jouer à l'intérieur et ils acceptent volontiers ces invitations.

Les troupes préfèrent donner des représentations dans des salles qu'on leur prête ou qu'elles louent. Les premiers théâtres sont improvisés dans d'anciennes salles de jeu de paume**, des salles de palais ou de château. Le plus souvent cet espace, rectangulaire et étroit, rend difficile l'aménagement d'une scène convenable, et les spectateurs du fond ne voient pratiquement rien.

Les décors sont considérablement simplifiés : ils représentent la pièce d'une maison ou d'un palais, et

* Molière était gravement malade, mais il continuait de jouer et n'hésitait pas à utiliser sa toux pour faire rire les spectateurs. Il mourut à l'issue d'une représentation, en 1673, dans le rôle du Malade imaginaire.

** Le jeu de paume est l'ancêtre du tennis, il se joue avec une raquette dans un terrain couvert.

parfois toute l'action se déroule devant la porte de cette demeure. Pour aider le spectateur à imaginer la scène, on accroche des panneaux peints en trompe l'œil. Petit à petit, des théâtres permanents* aménagés spécialement pour les représentations vont être construits. La scène est alors placée sur une estrade, ce qui permet aux spectateurs de mieux voir.

Les spectateurs sont placés en fonction de ce qu'ils sont prêts à débourser** ! Fini la gratuité ! Désormais, pour assister à une pièce de théâtre, il faut acheter un billet, sauf bien sûr si l'on est un grand seigneur, un mousquetaire ou l'un des pages du roi. Les moins fortunés choisissent le parterre. Ils restent debout, pressés les uns contre les autres, essayant de voir et d'entendre. Difficile de suivre quand votre voisin siffle, crie et commente à haute voix les faits et gestes des acteurs !*** Ceux qui peuvent payer un peu plus cher s'installent dans les loges ou sur les galeries et profitent ainsi pleinement du spectacle.

* Il y a deux grands théâtres parisiens, l'hôtel de Bourgogne, (fondé en 1543), et le théâtre du Marais (fondé en 1629). Après la mort de Molière, Louis XIV demande que les troupes de ces deux théâtres s'unissent à la troupe de Molière : la troupe de la Comédie-Française est née (1680).

** Le prix des places pour le parterre, c'est entre 9 et 15 sous, pour les galeries ou les loges, jusqu'à cent sous. Un maçon ou un charpentier gagne environ 20 sous par jour.

*** C'est seulement en 1782 que l'on pense à installer des sièges au parterre pour éviter les bousculades. La première salle à en bénéficier est la salle parisienne qui s'appelle aujourd'hui l'Odéon.

Pour suivre la représentation, une troisième solution existe : se placer directement sur la scène ! Dans des fauteuils, disposés de chaque côté afin de ne pas gêner les comédiens, prennent place des spectateurs privilégiés (on peut compter 36 personnes sur scène en 1672-1673) : des hommes uniquement. Ils paient très cher l'avantage d'être vus de tous durant toute la représentation car le rideau n'est jamais baissé. Étant trop près, ils voient souvent très mal, en revanche ils peuvent glisser des mots doux aux actrices !*

La vie d'acteur

À Rome déjà, les acteurs avaient mauvaise réputation : on trouvait leur métier infâme et indigne d'un citoyen. D'ailleurs, seuls les esclaves étaient autorisés à jouer. Plusieurs siècles se sont pourtant écoulés mais la vision que l'on a de l'acteur n'a pas beaucoup évoluée. Le roi Louis XIII (1601-1643) aimerait bien que l'on cesse de salir la réputation de ceux qui amusent et divertissent le peuple et la Cour. Il le fait savoir par une ordonnance, mais sans grand résultat : on continue d'associer les acteurs à des infâmes.

L'Église, notamment, considère que les acteurs ne valent guère mieux que les sorciers, les magiciens ou autres charlatans. Le clergé reste persuadé que les hommes de théâtre donnent une mauvaise vision de la vie et éloignent les gens du droit chemin. Les comédiens

* Après la fondation de la Comédie-Française (1860), le nombre de spectateurs sur scène peut atteindre la centaine. Et au XVIIème siècle, ils sont parfois plus de 200, ce qui gêne le jeu des acteurs. En 1759, cette pratique est supprimée.

sont donc exclus des sacrements, ils ne peuvent être enterrés religieusement, et cela pendant longtemps.

En 1730, le corps de l'actrice Adrienne Lecouvreur*, véritable star du théâtre, sera jeté sur la décharge publique, car, avant de mourir, celle-ci avait refusé de renier par écrit sa profession.

En 1673, il fallut que Louis XIV intervienne auprès de l'archevêque de Paris pour que Molière soit enterré en terre d'Église, au cimetière Saint-Joseph. Et encore cet enterrement se déroulera de nuit, sans personne pour suivre le cercueil, et le corps du grand acteur sera-t-il déposé dans le terrain réservé aux enfants morts-nés, c'est-à-dire non baptisés.

Les spectateurs, contents de venir s'amuser au théâtre, se soucient peu du jugement sévère prononcé par l'Église. Bien au contraire, ils se passionnent pour la vie privée des acteurs et des actrices. Certains noms sont sur toutes les lèvres, ce qui prouve l'immense succès que remportent les comédiens.

Même si des acteurs sont plus connus que d'autres, ils appartiennent tous à une troupe, qui généralement se produit dans un théâtre attitré. Certains font partie de la troupe des grands comédiens qui jouent à l'hôtel de Bourgogne, d'autres de celle du théâtre du Marais, et d'autres encore de la troupe de Molière, appelée la troupe du roi, qui s'est installée en 1660 au Palais-Royal. Une dizaine de troupes moins importantes circulent en province.

Quelques troupes étrangères font la joie du public parisien : les Espagnols, les danseurs hollandais de la foire Saint-Germain, les animateurs de marionnettes. La troupe des Italiens, dirigée par Scaramouche, fait

* Adrienne Lecouvreur (1692-1730) est une actrice de tragédie ; elle débute à la Comédie Française en 1717.

découvrir au public français le théâtre de la *commedia dell'arte,* mais en italien, ce qui ne devait pas être toujours facile à suivre !

Les comédiens ne sont pas tous à plaindre, certains gagnent plutôt bien leur vie. Ils profitent des recettes qui peuvent être substantielles quand la pièce remporte un vif succès. Une fois les différents frais payés (décorateurs, ouvreurs, lumières), les recettes sont partagées entre tous les comédiens. Le chef de la troupe touche un peu plus que les autres. Ceux qui sont à la fois auteur et acteur, comme Molière, bénéficient d'une plus grosse part.

Les acteurs peuvent percevoir aussi des pensions de ceux qui les protègent. Molière est le premier à recevoir, en 1662, une pension du roi. Quand les acteurs abandonnent la scène, ils peuvent parfois toucher une petite rente pour leur retraite.

Louis XIII puis Louis XIV se passionnent pour le théâtre* . Le roi aide les comédiens et les auteurs qui recherchent sa protection ou celle d'un grand seigneur. La cour aime les spectacles et Louis XIV fait venir les troupes à Versailles ou dans d'autres châteaux. Molière est sans doute l'un des comédiens les plus appréciés du roi, qui n'hésite pas à prendre sa défense.

D'après Le théâtre à travers les âges, de Magali Wiener, dans la collection Castor Doc

* Le cardinal de Richelieu (1585-1642), chef du conseil du roi Louis XIII, se fait construire un théâtre chez lui (le Palais Cardinal) qui fut inauguré en 1641. Il entretient un groupe d'auteurs et d'acteurs.

Cet
ouvrage,
le sept cent
quatre-vingt-dix-huitième
de la collection
CASTOR POCHE,
a été achevé d'imprimer
sur les presses de l'imprimerie
Maury Eurolivres
Manchecourt - France
en novembre 2003

Dépôt légal : février 2001.
N° d'édition : 4820. Imprimé en France.
ISBN : 2-08-16-4820-2
ISSN : 0763-4544
Loi n° 49-956 du 16 juillet 1949
sur les publications destinées à la jeunesse